CW00859096

Агнєшка Мєлех

Намалювала

Магдалена Бабінська

Переклала з польської

Дзвінка Матіяш

Львів
Видавництво Старого Лева
2021

УДК 821.162.1-31
М 47

Агнєшка Мєлех

М 47 Емі і Таємний Клуб Супердівчат. Коні й лошата [Текст] : повість / Агнєшка Мєлех ; пер. з пол. Дзвінки Матіяш. — Львів : Видавництво Старого Лева, 2021. — 176 с.

ISBN 978-617-679-876-7

До Таємного Клубу Супердівчат надходить зашифрований лист. Яка загадка криється в тому листі і хто його прислав? Чи вдасться п'ятьом друзям його розшифрувати? Слід приводить їх до клубу верхової їзди «Коні й лошата».

Дівчата разом із Франеком вчаться їздити верхи, а також знайомляться з мешканцями кінного двору: козою Мекою, кішкою-мандрівницею Срібною Лолою та її котенятами, а також із прегарними конями — Ґренадою та Фіґаро. Але діти прикипають серцем до старенької кобили Брави. Таємний Клуб має виявити неабияку кмітливість, аби знайти для неї нову домівку.

Тож готуйтеся: операція «Брава» розпочалася!

УДК 821.162.1-31

ISBN 978-617-679-876-7 (*укр.*)
ISBN 978-83-280-1369-8 (*пол.*)

Хто є хто

Емі
Тато Емі
Мама Емі
Шоколадка
Мадам Ізабелла
Лаура Звендли
Флора Звендли

Франек
Анєла
Фаустина
Корнелія
Лола
Професор
Брава
Ґренада
Аляска

З ТАЄМНОГО ЩОДЕННИКА ЕМІ

Привіт, це я, Емі. Ось уже закінчуються канікули. І в мене, і в мого щоденника було довге й особливе літо. Але про все по черзі.

Ще перш ніж закінчився навчальний рік, я пообіцяла собі, що не забуватиму вести щоденника. Але мушу визнати: я була дуже зайнята. Цього літа Таємний Клуб Супердівчат помандрував аж до Жаб'ячого Рогу. Нас запросили у будиночок біля річки, де живе моя бабуся Станіслава. Звісно, ми не йшли всю дорогу, а їхали автівками разом із нашими батьками. Дорогою ми бачили безліч лелек. Виявилося, що ми їдемо лелечим маршрутом.

Я ще не сказала, що у Жаб'ячому Розі з нами був хтось, хто не належав до Таємного Клубу. Хлопець! Франек.

А потім усе зайшло геть далеко і до нашої дівчачої компанії вперше було прийнято хлопця! Це неймовірно, скажіть? Але це справді сталося. Тепер Франек каже, що у нас Таємний Клуб Супердівчат і Суперхлопця. Але ми, дівчата-засновниці, назви Клубу не змінимо НІКОЛИ.

Мабуть, ви би хотіли більше довідатися про Жаб'ячий Ріг. Буду щирою — там усе зовсім інакше, ніж у місті. Там немає ні заторів на дорогах, ні супермаркетів. Зате є сад, пасіка й конюшня. Ну й бібліотека, в якій почалася найбільша канікулярна пригода нашого Таємного Клубу.

Усього вам розповідати не буду, лише коротенько скажу таке: ми розгадали загадку книжок, що зникали з бібліотеки. А ще познайомилися з Гелею, яка працює у бібліотеці, й Костеком, що вчив нас їздити на красуні-кобилі на ім'я Малага. Цілісінькими днями ми гуляли на лузі біля річки або йшли до стайні. Це було КРУТО!

ПРОЩАННЯ З ЖАБ'ЯЧИМ РОГОМ І ЧАСОВА КАПСУЛА

Узагалі я могла б зовсім не помітити, що наближається вересень, якби одного ранку бабуся не сказала:

— Не хочу вас виганяти, але вже за тиждень починається школа, тож, мабуть, вам пора збиратися до міста.

Ми якраз лежали в садочку, а коли бабуся промовила слово «школа», заціпеніли. Першою озвалася пані Лаура:

— Та ви що? Вже минули канікули? Я зовсім випала з часу.

— Але ж ми не маємо прямо вже повертатися додому? — обурилася Флора.

Бабуся всміхнулася і пояснила:

— Тут, у Жаб'ячому Розі, час любить зупинятися.

Франек додав:

— Час складний. Він зовсім не йде так, як нам здається. Якщо ми будемо рухатися зі швидкістю світла, час буде йти повільніше, ніж якби ми далі сиділи собі в садочку.

— Знову ти філософствуєш, — дорікнула я йому.

— По суті, ми вже, мабуть, перенеслись у часі... до школи... — Фло зітхнула.

На Франека це зауваження ніскілечки не подіяло, і він розмірковував далі:

— Час — це четвертий вимір часопростору. І він залежить від гравітаційного поля. Був колись такий фізик Ейнштейн*, то він це все вигадав.

Роздратована Флора зиркнула на Франека й скривилася:

— А ти звідки це знаєш?

— Мій тато розповів, — Франек стенув плечима. — Зрештою, кожен фізик це знає. Коли я буду старший, ми проведемо дослід і я сам переконаюся в тому, як же насправді рухається час.

Бабуся поглянула на нього з-над окулярів і сказала:

— Бачу, що вже справді час до школи. Ваші тіла й розум пречудово відпочили. Мені здається, що ви готові продовжити пригоду з навчанням.

---

* Альберт Ейнштейн (1879–1955) — німецький фізик, що винайшов теорію відносності й запропонував нове розуміння часу. Згідно з його теорією, гравітація, себто сила тяжіння, впливає на час. Наприклад, це означає, що годинники на Землі йдуть повільніше, ніж годинники, що розміщені високо над Землею.

— Я того Ейнштейна не знаю, але бачила колись по телевізору, що якісь люди щось робили з часом. Наче... Точно! Виготовили часову капсулу! — вигукнула Флора.

— А-а-а, це вже давно було, — буркнув Франек.

— А я думаю, що ми можемо тут, у Жаб'ячому Розі, теж щось таке зробити! — не відступала Фло.

Я ніколи раніше не чула про часову капсулу. Думала, що йдеться про космічні кораблі й подорожі в часі. Отож слухала зацікавлено.

— Тоді ми маємо вирішити, коли потомкам відкривати нашу капсулу, — сказав Франек.

— А на що вона схожа, ця капсула? — спитала Фау.

Тоді Франек скочив до грядок, схопив якийсь патик і жваво почав щось креслити на землі.

— Схоже на коробку, — озвалась я.

— Тобі бонус, — схвально підтвердив Франек. — Часова капсула — це такий собі контейнер із таємним посланням, і вона виготовлена зі супер-міцного матеріалу. Може мати форму коробки чи скриньки.

— А я бачила по телеку, що це була куля, — заперечила Фло.

— Це може бути будь-який контейнер, — заспокоїв її наш фахівець із питань часу. — Всередину кладуть речі, які дуже важливі для людей, що живуть у той час. Контейнер закопують глибоко під землею в якомусь відомому місці. Капсулу можуть відкрити за багато сотень років. Відкривши її, наші нащадки довідаються, як ми жили.

Ми почали міркувати над тим, що́ нам треба покласти в часову капсулу, яку закопаємо у Жаб'ячому Розі. Флора вважала, що там має бути шматок піци і мобільний телефон.

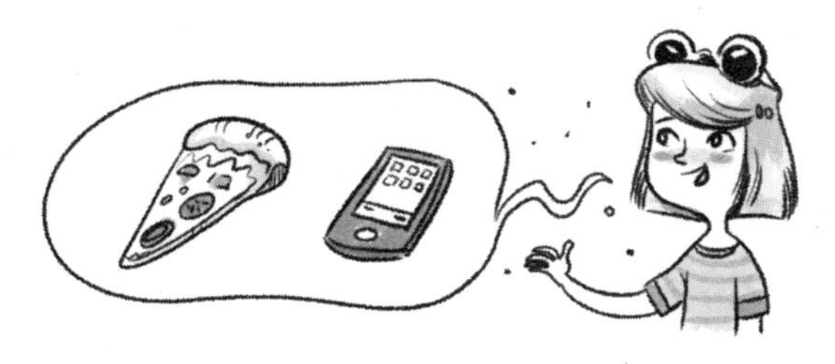

— Хай люди за тисячі років довідаються, яка смачна була піца. Ну, і що в нас уже були мобільники!

Фаустина вирішила, що не можна забувати про музику. Запропонувала покласти в капсулу скрипку.

— А чого саме скрипку? — здивувалась я. Скрипку я не дуже люблю, мені більше подобається гітара чи кларнет.

— Бо піаніно й арфа завеликі, — повчально промовила Фаустина. — А скрипка саме така, як треба.

Як на мене, у капсулу треба було покласти книжку. Найкраще — якусь детективну історію. Ну і, зрозуміло, упаковку моїх улюблених жуйок.

— Може, ще якийсь фільм додати? — запропонувала Анєла. — Наприклад, «Тачки»? Як вам така ідея?

Ніяких заперечень не було, всі пропозиції ухвалили одноголосно.

— Я би ще додала пляшечку з насінням збіжжя, — втрутилася бабуся.

Франек зірвався на рівні ноги.

— То ви знаєте, що було в американській часовій капсулі*?!

Бабуся віднікувалася, казала, що нічого не знає, пояснювала, що, на її думку, у капсулі має бути зерно і це — очевидна річ:

— Зерно має шанс зберегтися, і навіть за багато тисяч років його можна буде посіяти, — пояснила вона.

До розмови втрутилася пані Лаура:

— Я також докладаю пляшечку. З найкращими парфумами! А ще — найвищі шпильки!

Флора критично поставилася до ідеї своєї мами.

— Мамо! Невже ти справді віриш, що за тисячу років люди далі будуть мучитися на високих підборах?

---

* Одну з найвідоміших часових капсул виготовила фірма «Вестінґгауз» 1939 року. У ній були побутові речі: нитки, лялька, пляшечка з насінням зернових культур, мікроскоп та плівка із записом тогочасної кінохроніки. Часову капсулу закопали у парку в Нью-Йорку.

Пані Лаура вперлася, що хоче передати наступним поколінням важливу інформацію щодо принципів елегантності.

Нарешті ми визначилися, що ж буде в нашій часовій капсулі. Отож у ній можна буде знайти: шматок піци, мобільний телефон, скрипку, книжку про детективів, жуйку, фільм на *DVD*, шпильки, парфуми, а також пляшечку із зерном.

— Ой! — гукнув Франек. — Я мало не забув! Ми ще маємо написати листа з посланням до наступних поколінь. Такий лист кладуть у кожну часову капсулу.

Ми з Фау помчали по папір та ручки. А потім взялися працювати над листом. Вирішили, що він має бути правдивий і щирий. Ми перекрикували одне одного, аж врешті мені, керівничці Таємного Клубу, довелося взяти справу в свої руки.

— Шановний Клубе! Ану тихо!!! — щосили рявкнула я.

Ми узгодили, що кожен із нас напише в листі по кілька речень. Також вирішили, що нашу часову капсулу можна буде відкрити через сто п'ятдесят років. Просто ми додали вік учасників Таємного Клубу, пані Лаури й бабусі — і у нас вийшла отака сума. Круто!

Лист від Таємного Клубу Супердівчат і Суперхлопця (та вже нехай буде, Франеку!) до майбутніх нащадків землян, покладений у часову капсулу в Жаб'ячому Розі.

Ми, учасники Таємного Клубу Супердівчат і Суперхлопця, повідомляємо, що 22 серпня 2014 року закопали в Жаб'ячому Розі ЧАСОВУ КАПСУЛУ. Сподіваємося, що вже минуло 150 років, бо якраз тоді ви мали капсулу відкрити.

Мабуть, вам цікаво, хто підготував і заховав цю часову капсулу. Нас п'ятеро, і ось наші імена за абеткою: Анела, Емі, Фаустина, Флора і Франек. З нами також пані Станіслава, бабуся Емі, й пані Лаура, Флорина мама, і Шоколадка, песик тітки Юлії. Ми хочемо розповісти майбутнім поколінням землян, що́ для нас було важливе на початку XXI століття.

По-перше: передаємо вам шматок піци (найкраща піца зветься «Чотири сири», смакота) й упаковку полуничних жуйок. Це наша улюблена їжа. Але попереджаємо вас, що до здорового харчування ця їжа не належить.

По-друге: мобільний телефон. Ще його називають «смартфон» або «розумний телефон». Мабуть, ви знаєте англійську, бо це якраз англійською. Цікаво, які телефони у ваш час?

По-третє: речі, пов'язані з культурою. Скрипка (оцей великий предмет із довгою ручкою), на якій грають музиканти філармонії (ми би хотіли передати вам арфу, на якій грає Фаустина, але це великий інструмент і він не поміститься), детективна повість для дітей і фільм на DVD-диску (оця срібляста кругла штучка), який можна подивитися, вставивши у спеціальний пристрій.

По-четверте: предмети, що можуть вам видатися найдивнішими. Оця штуковина, схожа на човен на стовпчику, — це насправді взуття. Важко в це повірити, але це дійсно так. Таке взуття носять елегантні жінки, причому на обох ногах. Ви вже задумались, як вони можуть у такому ходити? Ми теж! А ще елегантні жінки виливають на себе рідину, що зветься «парфуми». Ось вона в цій кришталевій пляшечці. Пляшечка дуже маленька, але дуже дорога. Якщо вам не сподобається аромат (ми від нього страшенно чхаємо), можете продати її в інтернеті. Або подарувати якійсь милій жінці. Здається, жінки не можуть встояти перед парфумами.

По-п'яте: в іншій пляшечці лежить зерно — пшениця, жито й овес. Ви можете посіяти його в землю, а потім, коли виростуть рослини, зібрати їх і змолоти зерно на борошно. А з борошна можете спекти хліб.

Подивіться у Вікіпедії, що таке борошно. Ага, ще зерно можна використовувати як корм для тварин. Але ми не знаємо, які у вас є тварини і що вони їдять.

Під листом ми всі поставили свої підписи. Навіть Шоколадка поставила відбиток своєї заболоченої лапи. Тепер на нас чекало найважливіше завдання: зібрати всі предмети, знайти відповідний ящик, що не зіпсується за сто п'ятдесят років, а також місце, де ми його закопаємо.

— Це буде не так просто, — промовив Франек. — Звідки ми візьмемо скрипку?

— Шпильки у мене вже є, — озвалася пані Лаура, що поливала квіти. — Віддам оті блакитні, у цьому сезоні цей колір геть немодний.

— Мамо, ти краще визнай, що не можеш у них ходити. Ти весь час нарікаєш, що вони зависокі, — озвалася Флора.

Раптом ми почули, як грюкнула хвіртка, і відразу ж почувся голос Костека:

— Тут хтось про шпильки говорить? Це знак, що ви вже тікаєте до міста! У Жаб'ячому Розі навіть місця підхожого немає, щоб парадувати в такому взутті.

— Елегантна жінка завжди знайде, як показати себе на високих підборах, — з гідністю відповіла пані Лаура.

Наш сусід стояв перед нами, обвішаний всякими причандалами для риболовлі. Бабуся, що разом із пані Лаурою поливала квіти, приязно з ним привіталася:

— Я тільки-но хотіла те саме сказати. Ми якраз розмовляли про те, що в Жаб'ячому Розі час любить зупинятись, а десь-інде він летить. І що вже пора до школи.

Франек розповів Костекові про свою теорію часу, тобто про теорію отого Ейнштейна, і про те, що ми готуємо часову капсулу.

— Часова капсула... Дуже цікаво. Якщо дозволите, я зніму свій рибальський обладунок і уважніше погляну на ваш проєкт.

— Скільки ти сьогодні риби спіймав? — спитала Фаустина.

— Я не ловлю риби. Сиджу над водою, дивлюся перед себе і перевіряю, чи клює. Й відразу відпускаю рибу на волю. Хай собі в річці плаває. В екосистемі* має зберігатися рівновага.

---

* Екосистема — частина природного ареалу (скажімо, озеро, ліс, поле), що утворює комплекс взаємозалежних рослинних і тваринних організмів разом із територією, на якій вони живуть.

Потім ми розмовляли про часову капсулу, про те, де ми могли б її закопати і як роздобути всі ті речі, які ми збиралися покласти всередину. Ми вирішили, що Фаустина могла би намалювати скрипку й додати якісь ноти. Модель мобільника ми вирішили виготовити з паперу. Треба було тільки точно перемалювати новенький смартфон пані Лаури. Солідна коробка для капсули також знайшлася. Костек вирішив віддати на цю справу скриню з-під книжок, які ми знайшли у нього в стайні.

— Це міцне старе дерево. Воно має витримати ще сто п'ятдесят років.

Отож у другій половині дня ми готували капсулу, а також пакували свої речі. Пані Лаура з бабусею вирішили, що завтра ми повертаємося до міста.

Увечері ми закопали часову капсулу, а після цього розпалили прощальне вогнище. Бабуся розповіла нам про своїх бабусю й дідуся, себто про моїх прапрабабусю й прапрадідуся, і про те, як колись жилося в Жаб'ячому Розі.

Нам тяжко було прощатися з цим пречудовим місцем та його мешканцями. Аж тут бабуся сказала щось дуже цікаве:

— Людська пам'ять — це також часова капсула.

КІНЕЦЬ КАНІКУЛ І КУРІНЬ СУПЕРГЕРОЇВ

Зранку я прокинулась, як завжди, дуже рано. І вже була готова розбуркати Флору, що спала біля мене, і мчати надвір. Я хотіла стрибати по ще мокрій траві, спостерігаючи за тим, як природа прокидається після літньої ночі. Простягнула руку і... порожньо. Флори біля мене не було! Я здивовано протерла очі. Що сталося? А де всі? У кімнаті я була зовсім сама. І кімната здавалася інакшою, ніж кімната у бабусиному літньому будиночку...

Я уважно роздивилася довкола, і тоді до мене дійшло. Я прокинулась у себе вдома. Це була моя кімната, якої я не бачила вже кілька тижнів! Я вибралася з ліжка. Дуже уважно перевірила, чи все на своїх місцях. Хоча не знаю, хто би тут міг щось позмінювати. Адже увесь Таємний Клуб був у Жаб'ячому Розі!

Під столом, як завжди, була моя таємна база, або ж найкраща схованка на світі — ну, може, за винятком куреня в Жаб'ячому Розі. Але саме на моїй базі зберігається мій Таємний Щоденник та інші скарби. Поряд стояло моє улюблене крісло, що часто перетворюється на космічну ракету або на ще якийсь транспорт. Воно таке м'якеньке! Я люблю в це крісло залізати, коли сумую. Але чого це я маю сумувати? Ну так, за чотири дні починається навчальний рік. Проте я не могла вирішити, чи цього досить, щоб засумувати?.. Я вже буду в третьому класі. Й отримаю нові підручники! Круто! Я люблю нові книжки, вони такі чистенькі й приємні на дотик. Ну і гарно пахнуть. А всередині вони ще гарніші! На моєму письмовому столі вже височіла гора зошитів, які ми з мамою купили ще перед поїздкою на канікули. Мені треба їх всі обгорнути й підписати. Добре, що в мене є наклейки, обкладинки й ручки, тож відразу можу починати.

Я розклала все приладдя на підлозі й узялася до роботи. На кожен зошит, який обгорнула, приклеювала кольорову наліпку. Потім старанно виводила: «Емілія С. Ґацек, 3-Д».

Виходило у мене напрочуд добре. На радощах я тихенько насвистувала собі під носом. Згадала, що в пані Лаури була така маленька книжечка, про яку вона казала, що це підручник щастя. Саме звідти я довідалася, що свистіння — це чудовий спосіб відчувати себе щасливою.

Коли я розмірковувала про те, що таке бути щасливою, почула, як хтось тихо шкребеться у двері. «Тут наче немає мишей, як у Жаб'ячому Розі», — подумала я. Двері прочинилися, і до кімнати зайшла мама.

— Ти сьогодні дуже рано встала, — промовила вона.

— Це в мене після Жаб'ячого Рогу, — пояснила я. — Там нас кури будили.

— Чудово! — зраділа мама. — Тепер будеш готуватися до школи, як вихор. А зараз я запрошую тебе на невеличкий пікнік. Відсвяткуємо завершення канікул.

Я ліниво потягнулася.

— Досі не можу повірити, що вже незабаром починається навчальний рік.

Мама принесла до кімнати велику тацю з усілякою смакотою. Там були некруто зварені яйця, тоненькі скибочки хліба, маленькі стиглі помідори та фруктовий коктейль.

Ми розстелили на підлозі покривало.

— А з нього піщинки сиплються, — сказала я.

Маму це не збентежило.

— Воно стільки разів було з нами на пляжі, що нема чого дивуватися. Пісок із морського берега — це суперсувенір.

Отож ми поставили тацю з їжею на покривалі, на якому було повно піщинок. Ще додали дві подушки й вдавали, що лежимо на морському березі. Вітер розвівав нам волосся, а ми намагалися відгортати пасма з обличчя. Ми затулялися від сонця і слухали, як квилять чайки. Без кінця-краю сміялись і наминали пікніковий сніданок. Мені найбільше смакував коктейль із брусниць і бананів. Такий смачнющий!

Коли ми вже все ум'яли, почали міркувати над планом дня.

— Вчора телефонувала Флорина мама. Вона запрошує нас до себе. Вони готують гігантський казан помідорного супу, — сказала мама.

— Мабуть, Флора не може без мене жити... — буркнула я. Ну і, ясна річ, без Таємного Клубу Супердівчат.

— Ви дуже зблизились у Жаб'ячому Розі, — підтвердила мої припущення мама.

Справді, вона має рацію. Таємний Клуб Супердівчат провів разом кілька тижнів. Ми з дівчатами (ну добре, і з одним хлопцем, бо про Франека також не можу не згадати) ще ніколи не були разом так довго.

— Поїхали до Флори, — згодилась я. — Ми могли би збудувати курінь у саду на її подвір'ї.

— Я не певна, що ця ідея припаде до смаку Лаурі. У неї такий доглянутий сад, — засумнівалася мама. — Але поїдемо відсвяткувати останні дні канікул помідорним супом!

— Було би чудово, якби ми ще й Фаустину взяли, — запропонувала я.

— Добре! Лаура точно не буде проти, — згодилася мама.

Батьки Фау відразу погодилися, і незабаром наше веселе товариство наближалося до Флориного будинку. Не минуло й години, як ми вже сиділи на терасі вдома у Флориних батьків. Перші осінні квіти підставляли свої голівки сонцю. Ми також залюбки вихилялися з-під парасолі, щоб так само, як квіти, отримати трохи тепла.

— Насолоджуймося сонячним промінням — це краще, ніж вітамін *D* у таблетках, — сказала мама і витягнула свій шезлонг на сонце.

— Аптечних вітамінів нам не уникнути, — озвалася пані Лаура. — Осінь у нас дуже вже похмура.

— Похмура — от біда, — додала Флора. — А тепер гайда... до нашого... до нашого сада́!

— Хист до поезії у Флори від мене, — підморгнула нам пані Лаура.

— А й справді, гайда. Нащо гаяти найкращі сонячні миті під парасолею! — гукнула Флора. — Пограймо у м'яча!

— Тільки обережно з новими саджанцями! У мене тут насаджено багато осінніх рослин, — попередила нас Флорина мама.

— І коли ти це все встигла? — здивувалась мама. — Ще ж і доби не минуло, відколи ви повернулися з Жаб'ячого Рогу.

Пані Лаура взялася руками в боки.

— Уяви собі, що я тепер встаю разом із курми. Тому маю більше часу. Учора мій коханий чоловік купив верес, пізню лаванду та айстри. А вранці я це все посадила.

— Не вірю, — мама похитала головою. — Встаєш із курми, квіти садиш... Нічого собі зміни!

— Ми теж встаємо з курми!!! — заверещала Флора.

Далі ми вже не слухали, бо помчали грати у м'яча на траві.

— Побережіть сили для ігор із Франеком! — гукнула нам услід пані Лаура. — Професор із Франеком прийдуть сюди перед обідом.

— Родзинка нашого Таємного Клубу, — буркнула Флора. — Ти певна, що було правильно приймати Франека?

У мене часом також з'являлися щодо цього сумніви, але я не хотіла казати про це вголос. Як керівничка Клубу, я не маю сумніватись у наших рішеннях.

— Та ти що! — вигукнула я. — Це круто! От побачиш — усі будуть нам заздрити, що в Таємному Клубі є хлопець.

— Хто «всі»? Окрім нашого, тут більше немає інших таємних клубів, — здивувалася Флора.

— Точно є філія Таємного Клубу Супердівчат у Жаб'ячому Розі, — нагадала я. А потім додала, що ми зовсім не знаємо, чи дівчата з інших класів у нашій школі не заснували своїх клубів.

— Можемо провести у школі акцію: «ТАЄМНІ КЛУБИ, ОЗВІТЬСЯ!», — запропонувала Фау.

Флора загорілася цією ідеєю.

— Круто! Ми можемо вступити у самоврядування. Тоді нам буде легше працювати над такими проєктами.

— Ти вже будеш у четвертому класі, — відповіла я. — А з четвертого класу — інше самоврядування.

Фло на радощах аж підскочила.

— Ой, як добре все складається! Самоврядування малявок і старшокласників об'єднає свої сили.

— Третій клас — це ніякі не малявки, — сказала я. І відразу розлютилась. Уже не хотіла грати в м'яча. Тому побігла до мами, що разом із пані Лаурою прогулювалась у саду.

— Що ви робите? — спитала, підбігши до них.

— Милуємося. Радимося, що можна ще посадити, щоб осінь у саду була така ж барвиста, як і літо, — відповіла мама. — Ви вже не граєте у м'яча?

— Це розваги для малявок, — відповіла я. Краєм ока побачила, що Флора також іде до нас. Отож додала ще голосніше: — Я не люблю ігор для малявок!

Мама з пані Лаурою здивовано перезирнулися, але нічого не відповіли. Аж тут мама несподівано сказала те, що мене дуже здивувало:

— Лаура запропонувала нам кілька грядок у своєму саду. Ми зможемо садити на них овочі й потім їх їсти!

Я скривилась і подумала: «Круто. Тепер нам доведеться їздити сюди ще частіше».

Пані Лаура й далі показувала мамі сад. Після повернення з Жаб'ячого Рогу вона стала справжньою поклонницею природи.

— Обожнюю кінець літа. Лаванда ще росте, зацвітає верес. Ти тільки поглянь, Юстусю, на моє зелене царство, — захоплено промовляла Флорина мама.

А моя мама все більше запалювалась ідеєю і собі садити грядки.

— Ми би могли посіяти моркву, — міркувала вона, — трохи квасолі й петрушки. А ще можна посадити картоплю...

Варіант із квасолею мені сподобався, бо я її обожнюю, зате петрушки і картоплі терпіти не можу! Про що я і сказала:

— Не переварюю петрушки й картоплі!

— Тоді посійте салат, — приєдналася до розмови Флора. — Він так само зелений, як і листя петрушки.

— Салату я теж не люблю, — відрізала я.

Мама послала мені один зі своїх убивчих поглядів, який означав: «Моя люба, вже час перестати лютувати!».

Мені пощастило, бо раптом зчинився великий гармидер. Усі, разом із мамою, перестали звертати на мене увагу. Пані Лаура зненацька підскочила наче ошпарена, кинула нам: «Професор уже приїхав» — і помчала до хвіртки. За мить повернулася разом із гістьми. Гості виглядали однаковісінько, тільки були різного зросту. Звісно, це приїхали Франек та його тато. Обоє були у світлих штанах, блакитних сорочках і темносиніх камізельках. Франек також старанно причесався.

— Ви маєте дуже елегантний вигляд! — похвалила їх моя мама.

— Я думала, що тобі більше подобається бути скаутом, аніж чемним учнем, — промовила Флора, дивлячись на Франека.

Той скривився, але тут озвався професор:

— Коли Франек повернувся з Жаб'ячого Рогу, виявилося, що в нього немає жодної чистої речі. Крім вбрання, приготованого на свято Першого дзвоника.

— От і неправда! — обурився Франек. — У мене ще ж були лижні штани і ху́ді.

Усі вибухнули сміхом. Ми ще довго того дня кепкували з нашої родзинки, нагадуючи, що у прегарний серпневий день він збирався залізти в лижний костюм.

Франек, якого ці всі жарти ніскілечки не збентежили, озвався:

— Пропоную, щоб Таємний Клуб, замість віддаватися лінощам, розпочав засідання у зв'язку з початком нового навчального року.

— Гарна ідея! — погодилася мама. — Бо це вже у понеділок. — І за мить додала, зітхнувши: — Ми також маємо все попрати й влаштувати генеральне прибирання.

— Поки ви розмовляєте, з'їжджу по чорну капусту, — промовила пані Лаура. — Піднімемо наш імунітет.

Вона зникла десь у будинку, а потім ми побачили, як вона буквально летить на Флориному самокаті. Вона виїхала за ворота і помчала вниз вуличкою. Тільки ми її й бачили.

Флора спокійно пояснила:

— Мама відмовилася від транспорту, що забруднює довкілля. Поки що вона їздить тільки на велосипеді або на моєму самокаті.

— Цікава позиція, — промовив професор. — Радикальний крок. Тільки такі дії і врятують нашу планету.

Тепер вони з мамою заглибились у розмову про екологію та забруднення довкілля. Флора, Фаустина, Франек і я перебралися під дерева, щоб там спокійно обговорити плани Таємного Клубу.

— Я би хотіла, щоб цього року Клуб зайнявся чимось справді важливим, — сказала я.

— А як на мене, усе важливе, — відповіла Фло. — Хіба не було важливо знайти папугу Базіку? Або врятувати виставу тата Лючано? Або знайти книжки, що зникли з бібліотеки?

— Не кажучи вже про справу, пов'язану з моїм татом, — буркнув Франек.

Я замислилася.

— Це було суперважливо. Але я би хотіла, щоб ми зробили щось цілком незвичайне.

— Гмм, — Франек також задумався. — Тоді проведімо один із фізичних дослідів, про які я вже давно мрію. Доведемо, що діти також розуміють фізику! Може, навіть вигадаємо якусь нову теорію?! — жваво запропонував він. — Наукову, ясна річ.

І я, і Флора скривилися.

— Ні-і-і! Ми не науковий клуб. А *таємний*, — промовила я і відразу додала: — Йдеться про щось таке, щоб воно й іншим подобалося.

— Одну людину, якій це сподобається, вже можемо внести у список. Це мій тато! Він дуже порадів би, дізнавшись про досліди, — не здавався Франек.

Коли ми й далі заперечували, переконуючи його, що це має бути щось, що буде важливе для нашої школи, району і навіть усього міста, Франек нарешті визнав, що ми маємо рацію.

— Ну гаразд. Тоді треба подумати. Вже знаю! Ми можемо стати супергероями! Як Бетмен чи Супермен!

— Крута ідея! Супергерої суперважливі. Всі їх обожнюють, — Флора також була у захваті.

Зате я згадала, що хотіла показати мамі, як ми будуємо курінь.

— У супергероїв має бути таємна база, — озвалась я. — Треба збудувати курінь супергероїв.

У кутку саду Флориних батьків лежала гора обрубаних гілок. Ми їх усі перетягнули під улюблене Флорине дерево і взялися споруджувати курінь. Якби не Франек, у нас би так добре не вийшло. Цього разу ми будували не вігвам, а дах, що спирався на опори. Напрацювалися так, що ой-ой-ой!

Мама з професором були вражені нашим витвором.

— А хто тут житиме? — зацікавився професор.

— Це таємний сховок для засідань Клубу, — пояснила Фло.

Професор сказав, що коли так, то нам треба перенести курінь в інше місце. Пояснив, що сховок перестав був таємним, як тільки ми про нього розповіли. Отож ми почали розшукувати нове місце, але тут пані Лаура покликала нас обідати. Ми дуже здивувалися. Ніхто не помітив, коли вона повернулась із крамниці.

— Останнім часом я користуюся двоколісними транспортними засобами. Можу бути невидимкою, — таємниче озвалась вона.

— Я би хотіла бути невидимкою, — сказала Фло, зітхнувши. — Я би тоді стільки всього могла зробити.

Ми з Фаустиною з нею погодились.

— Якби я була невидимкою, може, я би могла менше грати на арфі? — міркувала Фаустина.

— А як на мене, невидимкою може бути кожен. Це всього-на-всього питання уяви, — озвалась моя мама.

— Запрошую всіх невидимок на склянку коктейлю з чорної капусти, — промовила пані Лаура, подаючи нам якийсь зелений напій. На вигляд він був преогидний.

— Чорна капуста? — здивувався професор. — Ну, вона вже точно невидима. Не пам'ятаю, коли я востаннє її бачив у крамниці. У наш час зрідка споживають оцю старомодну городину.

— Зараз уже ні. Наша родина переходить на здорове харчування. Тож ми запрошуємо на чорну капусту принаймні раз на тиждень, — сказала пані Лаура. — А наступного року я збираюся сама її вирощувати.

Флора скривилася. А я почала міркувати, як би мені викрутитися від споживання цієї капусти, бо я не люблю нових страв, та ще й такого гидкого зеленого кольору. Однак мені нічого не спадало на думку, а оскільки я не хотіла, щоб мамі було прикро, вирішила заплющити очі й швидко поглинути те, що було у склянці.

Я відсьорбнула ковток. О-о-о! На смак та рідина була дуже навіть непогана, м'яка й негостра.

— Відчуваю банан і грушу, — сказала я.

— Браво! Складники саме такі: банан, груша, чорна капуста й вода, — підтвердила Флорина мама.

— А що це таке, ота чорна капуста? — спитав Франек.

Тоді пані Лаура показала нам пучок темнозеленого, наче гофрованого листя — воно було довге і м'ясисте.

— З листя цієї капусти можна виготовляти чудові чипси, — додала вона.

— То ми вже не будемо купувати чипсів у супермаркеті? — засмучено спитала Флора.

Але всі відразу забули про чипси й помчали до столу, на якому вже чекали тарілки і найсмачніший на світі помідорний суп із рисом. Від самого його вигляду в нас потекла слинка. Справжнісінький бенкет!

ТАЄМНИЧИЙ ЛИСТ

Почався новий навчальний рік. Дорогою до школи на перший дзвоник я міркувала про нові підручники. Мене вони справді цікавили. Але думаю все-таки, що мої однокласники більше замислювалися над тим, чому канікули такі короткі?..

Ми знову повернулися до звичного ритму. Встаємо зранку. Потім — уроки. Повертаємось додому. Можна трохи погратися. Вечеря. І знову треба зранку вставати. У Таємного Клубу Супердівчат уже не залишалося багато часу на зустрічі. Ми бачилися тільки в суботу або в неділю. Наприклад, тієї суботи, коли прийшов таємничий лист. Але про все по черзі.

Ми зустрілись у мене, тобто у гнізді Ґацеків, у будинку на вулиці Батарейковій. Флора вже отримала перше домашнє завдання — їй треба було принести до школи гербарій. Ми допомагали їй, перевіряючи, чи до гербарію потрапили найважливіші рослини. Ми — Флора, Фаустина (якій вдалось вирватися з дому після того, як вона закінчила грати на арфі), Анєла, Франек і я сиділи у вітальні. Переглядали гербарій, який зібрали у Жаб'ячому Розі, й голосно перераховували, які рослини нам вдалося знайти: горобина, липа, ліщина, клен, червоний дуб, тополя...

— І ще якась рослина, яку не можемо визначити, — сказав Франек, підіймаючи один листочок.

— Я бачила такий спеціальний додаток для комп'ютера, з допомогою якого можна визначати, якій рослині належить листя, — промовила Флора. — Ми ним користувались на інформатиці.

— Чудово, — озвалася Фаустина. — Я дуже люблю збирати листя, а потім дізнаватись, як воно зветься.

— Може, це бук? — спитала я.

— Та ні, — заперечив Франек. — У бука зубчасте листя на кінчиках. А це більше схоже на в'яз.

Ми ще довго сперечалися про те, яке ж це дерево, поки врешті дорослі не попросили нас говорити трішки тихіше, бо ми зовсім заглушали їхню розмову.

Флорині батьки разом із моїми батьками та професором повсідались на терасі, суміжній із вітальнею.

Вони розмовляли про екологічні засоби пересування. Ми почули, що Флориним батькам останнім часом випала нагода подивитись кілька екологічних автомобілів. Пані Лаура із запалом розповідала, які вони прекрасні і не завдають шкоди довкіллю.

— Лауро, не хочу тебе збивати з істинного шляху, але справжній екотранспорт ще до нас не добрався. Я чув про те, що вже винайшли новий двигун, який використовує стиснене повітря. Але ним ще не скрізь користуються, — промовив професор.

Ми нашорошили вуха, бо вже пахло чимось цікавим. Автомобілі, що їздять на повітрі!

Тут озвався Флорин тато:

— Ти хочеш сказати, Зенеку, що замість бензину ми колись будемо заправлятися повітрям?

— Це цілком імовірно. Такі автівки вже є в Індії, — підтвердив професор.

— От якби це нове пальне було дешевше за бензин, — додав мій тато.

Ми покивали головами і знову почали роздивлятись гербарій.

У Таємному Клубі Супердівчат досі не з'явилося планів на новий навчальний рік. Флора все підмовляла нас зорганізувати у школі велику подію під назвою «Усі таємні клуби — озвіться!». Але я їй пояснила, що це було би так само, як із нашим куренем. Він мав бути таємною базою Клубу, але ми показали його професорові й мамі, тож він перестав бути таємним.

Флору це дуже засмутило. Виявилось, що вона хотіла використати цю ідею у своїй передвиборній кампанії до шкільного самоврядування.

— Тепер мені знову доведеться обіцяти гори цукерок, дні спорту й моди і всяке таке, — поскаржилась вона.

До нашої розмови долучилася Флорина мама. І вона запропонувала щось зовсім інше.

— Флоронько, може, ти організуєш шкільну екскурсію до музею просто неба? Діти могли би ознайомитись із тим, як колись жили в селі.

— Мамо, у четвертому класі ніхто не захоче в цей музей їхати, це для малявок. Ой, вибачте, для молодших класів, — відповіла Флора, кинувши мені багатозначний погляд.

— Ну, тоді Емі може скористатись цією ідеєю, — погодилася Флорина мама і спитала мене: — Ти ж висуваєш свою кандидатуру в самоврядування?

Я зовсім не була певна, що хочу ввійти до самоврядування.

— Я вже керівничка Таємного Клубу Супердівчат. У мене й так багато обов'язків.

— Флоронька наділена організаційним хистом. Думаю, у самоврядуванні вона буде просто супер, — не вгавала пані Лаура.

— У мене нуль ідей на передвиборну кампанію, — буркнула Флора. — Ніхто не схоче за мене голосувати.

Пані Лаура не відступала.

— А може, організуєш майстер-клас на екотематику? У Жаб'ячому Розі ти довідалася стільки всього цікавого!

Флора раптом розвеселилася.

— Канікули, канікули, канікули! — кілька разів жваво повторила вона. І тут же гукнула: — Вже знаю! Підготую проєкт про канікули, що тривають цілий рік!

— Я також би хотіла, щоб знову було літо! І вільний час! — підтримала я Флору.

— Це правда. Канікули однозначно тривають надто мало, — озвалась Фаустина.

Фло дуже зраділа, що ми її підтримали.

— То що — думаєте, у мене є шанс?! Мій проєкт називатиметься «Хай завжди будуть канікули!».

Пані Лаура здалася, повернулась на терасу і знову приєдналась до розмови про екологічні автомобілі. А Таємний Клуб Супердівчат перебрався до моєї кімнати. Ми взялися працювати над передвиборним плакатом до проєкту Фло.

Франек сидів у кутку і вперто вивчав якусь таємничу книжку. Нарешті озвався:

— Якщо взяти до уваги, що рік триває триста шістдесят п'ять днів, то ми третину року проводимо на канікулах.

Ми здивовано подивилися на нього.

— Ти знову випендрюєшся! — осмикнула його Флора.

— Бути такого не може! — сказала Фаустина. — Не вірю, щоб у нас були такі довгі канікули. Я би це помітила, бо під час канікул мені можна менше грати на арфі.

А я тоді згадала, що на математиці була задача «втричі менше, ніж...», і в мене ці обчислення дуже навіть непогано вдавалися. Тож я спитала:

— Тобто втричі менше, ніж триста шістдесят п'ять?

Франек зморщив лоба, надувся і видав:

— Це буде приблизно сто двадцять!

— Тобто ми сто двадцять днів не ходимо до школи? — Флора була ошелешена.

Франек пояснив нам, що для того, аби підрахувати, скільки у нас вихідних днів упродовж року, він додав два місяці літніх канікул, тобто шістдесят днів, зимові канікули і всі святкові дні.

— Справді так, — згодилась я. — Ми відпочиваємо третю частину року.

— Ніби й сто двадцять днів, а канікули минають так швидко, наче тривають лише тиждень, — сказала Фаустина.

Але Флора не виявила такого захвату:

— З іншого боку, якби канікули були довші, ми би довше виривали бур'яни у Жаб'ячому Розі. У мене вже спина перестала розгинатися.

Раптом двері різко розчахнулись і до кімнати влетіла мама. Я була трохи здивована, бо ми домовились, що вона ставитиметься до мене як до дорослої й стукатиме, перш ніж заходити. Я також намагалася стукати. Мама була дуже схвильована.

— Ви не повірите, що сталося!

— Що?! — усі гуртом вигукнули ми.

Мама врочисто показала нам прегарний золотий конверт.

— Прийшов лист. До Таємного Клубу Супердівчат і Суперхлопця. Його ще вчора принесли, але тато десь його подів. Та я знайшла — і ось він, — сказала мама.

Ми подивилися на золотий конверт, який мама крутила в руках.

— Лист? До нас? — здивувалась я. — Останній лист, який ми отримали, був від Франека.

— А Франек зараз із нами в Клубі, — промовила Флора і доторкнулась до нього, ніби хотіла переконатися, що суперхлопець і далі тут, ніде не подівся.

Франек спершу сидів мовчки, бо йому відібрало мову, але нарешті випалив:

— Секундочку! Це ж зовсім не має бути лист від мене. Це може бути лист від мого астрального тіла*.

— Ти можеш не говорити загадками? — дорікнула йому Фаустина. — Як би ти себе почував, якщо б я почала говорити з тобою мовою конюхів або навіть коней?

Франек почервонів як буряк і визнав, що Флора має рацію. Я вперше бачила, щоб він так швидко з кимось погодився.

Мама, яка весь час стояла у дверях, прокашлялась, щоб привернути нашу увагу. Я простягнула руку, збираючись узяти листа, але Флора мене випередила. І тепер вже вона тримала в руках золотого конверта. Ми всі схилилися, напружено роздивляючись таємничого листа.

— Хто б це міг нам написати? — міркували ми.

— Ану погляньмо, що на звороті конверта. Може, відправник підписався?

Флора обережно перевернула конверт, і ми побачили дивний напис:

---

* Наука, щоправда, не визнає такого поняття, але ті, що вірять у паранормальні явища, вважають, що астральне тіло — на противагу фізичному — це проєкція нашої душі.

Запала тиша. Ми перезирнулись, бо й далі нічого не розуміли. Що би це могло означати? Ми розпочали нараду. Може, це якась таємна мова? Хтось сказав, що звучить так, наче з казок «Тисяча й однієї ночі». Флорі це слово було схоже на «абажур».

— Це якийсь жарт, правда, мамо? — спитала я.

Проте мама стверджувала, що знає про це стільки ж, скільки й ми. А за мить розвернулась і шмигнула в якийсь закуток помешкання.

— Я такої мови не знаю. Може, це прізвище Аладдіна? — ламала голову Фаустина.

— Нам треба проконсультуватись із детективом, — вирішила Флора.

— Агов! Не здавайтеся! До того ж це ми Таємний Клуб, що вміє розв'язувати складні завдання, — Франек залишався оптимістом. — Нам потрібен час і якісь ідеї, щоб відгадати цю таємницю.

— Треба глянути, що всередині, — розсудливо сказала я.

Ми обережно відкрили конверт. Усередині лежав лист. Ми пильно дивились на рядки літер на аркуші. Літери ми знали всі, але жодного слова прочитати не могли.

ВБДБЛБЯ БТБКБСБД ВКВОВЛВИ ВПВОВЧВНВУВТВЬВСВЯ ВСВНВІВГВИ ВЙ ВМВОВРВОВЗВИ, ГКГОГЛГИ ГУ ГСГТГАГЙГНГІ

ГПГОГВГІГЄ ГХГОГЛГОГДГОГМ, ҐА ҐРҐІҐЧҐКҐУ ҐСҐКҐУҐЄ ҐМҐІҐЦҐНҐА ҐКҐРҐИҐГҐА, ДПДРДИДЇДЗДДДІДТДЬ ДДО ДЖДАДБД'ЯДЧДОДГДО ДРДОДГДУ, ЕСЕТЕАЕНЕЬЕТЕЕ ЕНЕАЕШЕИЕМЕИ ЕСЕВЕІЕДЕКЕАЕМЕИ, ЄБЄО ЄГЄЕЄЛЄЯ ЄЗ ЄКЄОЄСЄТЄЕЄКЄОЄМЄОЄДЄРЄУЄЖЄУЄЮЄТЄЬЄСЄЯ! ЖТЖОЖЖ ЖГЖАЖЙЖДЖА ЖНЖА ЖКЖОЖНЖЕЖЙ! ЗМЗЧЗІЗТЗЬ ЗЗ ЗНЗАЗМЗИ ЗВЗДЗАЗЛЗИЗНЗУ ЗСЗЕЗР-ЗЕЗД ЗДЗІЗБЗРЗОЗВ ЗТЗА ЗПЗОЗЛЗІЗВ! ИХИТИО ИНИЕ ИОИПИАИНИУИВИАИВ ИМИИИСИТИЕИЦИТИВИА ИЇИЗИДИИ ИВИЕИРИХИИ, ІХІАЙ ІХІУІТІКІО ІВІЧІИІ-ТІЬІСІЯ! ІБІО ІВІЖІЕ ІНІЕІМІА ІЧІАІСІУ ІНІА ІВІСІЯІКІІ ІДІУІРІНІИЦІІ!

Ми помітили, що перша літера листа більша за інші й оздоблена завитками.

— Гарна літера, — озвалась я.

— Це буквиця, — промовила Фаустина. — Як у давньому листі моєї прабабусі! — і вся розчервонівшись, почала розповідати: — Мама колись показувала мені давнього листа від неї. Йому було, мабуть, років сто. Там було повно таких завитків, і тоді я дізналась, що вони звуться «буквиці».

— Хтось дуже старався, коли писав цього листа, — сказала я.

Флорі спало на думку, що це хтось, кого ми знаємо.

— Ну самі подумайте! Хто би ще захотів купити такий гарний папір і так старанно щось на ньому написати? — пояснювала вона.

Я погодилась, що вона має рацію. Франек підсумував:

— З першим пунктом розслідування ми розібралися. Листа написав хтось, кого ми знаємо.

— Але ми й далі не знаємо, щó цей хтось хотів нам повідомити, — нагадала Фаустина.

— Точно! — вигукнув Франек. — Цього листа ЗАШИФРОВАНО!

Ми перезирнулись. Очі у нас блищали від хвилювання.

— Круто! — прошепотіла я. — Оце таємниця!

— Якщо листа зашифровано, — вів далі Франек, — це означає, що його автор або не хотів, щоб ми його прочитали, або...

— ...або йому хотілося, щоб ми поморочились, — закінчила я.

— Нащо нам морочитись? — спитала приголомшена Флора.

Фаустина недовірливо покрутила головою.

— Це просто, — промовила вона. — Автор листа хотів, щоб ми трохи помізкували.

Вона мала рацію. Треба було напружити мізки, щоб розшифрувати листа.

Франек гордо випнув груди.

— Ну, я не з одним шифром справився. І, здається, знаю, як прочитати цього листа!

Ми недовірливо зиркнули на нього.

— А звідки ти це знаєш?

Франек загадково дивився на аркуш, який тримав у руках.

— Ну що ж... — поважно почав він.

Але не доказав. До кімнати ввірвалися наші батьки. Вони побачили, що вже пізня година, а завтра зранку треба йти до школи. Як завжди у таких випадках, батьки очікували, що ми відразу завершимо роботу Таємного Клубу і розійдемося додому.

— Це несправедливо! — обурено вигукнула я. — А вам було би приємно, якби ми перервали вашу розмову про екологічні автомобілі? І звеліли робити щось зовсім інше?

Перший озвався професор:

— Це цілком слушне зауваження, — промовив він. — Ми мали раніше домовитись, о котрій завершуємо нинішню зустріч. Правила мають були чітко визначені.

— Але вже майже восьма, а завтра вранці вас і гарматою не розбудиш, — пані Лаура була немилосердна.

— Якою ще гарматою? — перепитала я. — Це як?

— Це таке прислів'я. Означає, що когось не можна добудитися. Гадаю, що ви спатимете так міцно, що вас непросто буде переконати встати з ліжка. А тепер вйо додому, Таємний Клубе! — скомандувала мама.

Франек, спіймавши облизня, склав листа і поклав його назад до золотого конверта. Трохи завагався, а потім віддав його мені.

— Що це за скарб? — поцікавився тато.

— Зашифрований лист, що надійшов до Таємного Клубу! — хором відповіли ми.

Батьки здивовано перезирнулися, але не стали випитувати подробиць. Уфф! У мене спав камінь із серця. Бо це мала бути СУПЕРТАЄМНИЦЯ Таємного Клубу.

Тож ми домовилися про зустріч наступного дня, а після цього всі розійшлися додому. Я сховала листа у безпечному місці, на таємній базі під столом. Там він спокійно чекатиме до ранку. Тоді ми почнемо працювати над ключем до шифру.

ВИГАДУЄМО ТАЄМНУ АБЕТКУ І РОЗМОВЛЯЄМО ПРО ТОЛЕРАНТНІСТЬ

Наступного дня на великій перерві я зустрілась із Флорою. Обличчя в неї було геть кисле.

— Що трапилося? — почала розпитувати я. Врешті-решт, як керівничка Таємного Клубу Супердівчат, я маю дбати про тих, хто до нього належить.

Флора скоса зиркнула на мене й сказала:

— У мене жахливий день.

Я спробувала її розрадити:

— Не переймайся так. Бо ж явно нічого особливого не сталося. Ще ж тільки перший тиждень навчання почався. А ввечері у нас таємна зустріч і ми розгадаємо таємницю листа. Так що на нас чекає чудовий день!

— Якраз щось особливе і сталося!!! — крикнула Флора. — У нас була контрольна! Треба було написати про те, як працюють у селі.

— Так ти ж про село усе знаєш. І ти точно написала без помилок, — сказала я.

— Я теж так думала. Але Марта — ота, що сидить на першій парті, — вважає, що в мене самі тільки помилки, — поскаржилася Флора.

— Та ну. Не слухай її, — заспокоювала приятельку я.

Аж тут, як на зло, звідкись узялася Марта з першої парти. І гукнула до Флори:

— Мотикою не цибулю кришать, а картоплю підгортають!

Флора примружила очі. Вже збиралася щось сказати, аж тут Марта знову взялася за своє:

— А серп менший за косу!

— Знаю! — аж підскочила Флора. — У прабабусі Емі був серп, і вона зрізала ним бур'яни й кропиву.

— Кропиву? — зареготала Марта. — Думаєш, я в таке повірю? Ну хто б це брався зрізати кропиву?

Флора не здавалася:

— Я теж не повірю, що ракета і тенісна ракетка — це одне й те саме.

Марту обілляв рум'янець аж по самі вуха. Флора шепнула мені, що вона насправді не знала, що роблять мотикою, а Марта зате поняття не мала, що ракетка для тенісу і ракета — це не одне й те саме. Думала, що ракетка для тенісу — це зменшувальне від «ракета»!

— А от я думала, що це одне й те саме. До речі, я щотижня ходжу на тенісний корт, — гордо промовила Марта.

— Ну ти і хвалько. Ми з Емі теж ходимо. Причому кілька разів на тиждень, — не відступала Флора. — А граємо так, як ота знаменита Серена Вільямс, коли їй було стільки років, як нам.

Я скоса зиркнула на Фло. Ми ходили на теніс хіба що кілька разів на рік!

Марта вже нарешті пішла, а я вирішила з'ясувати все із Фло.

— Ми зовсім не ходимо кілька разів на тиждень на теніс, — сказала я. — І не граємо, як ота *Сирена*...

— Серена, — буркнула Флора. Потім згодилась, що справді ми не ходимо на теніс аж так часто, але все одно маємо шанси грати так, як та славнозвісна тенісистка.

— Ну, але все одно ти могла не фантазувати аж настільки! — обурилась я.

— У мене не було виходу! — відповіла Флора. — Ти ж бачиш, яка ця Марта? Усе знає краще за інших!

— Ти належиш до Таємного Клубу Супердівчат! — нагадала я. — А ми кажемо правду!

— Клубу Супердівчат уже немає, бо ти туди прийняла хлопця, — буркнула Флора. А потім додала: — А знаєш що? Я виходжу з вашого Клубу!

Розвернулась і пішла до свого класу. Перед дверима вона ще зупинилась і гукнула до мене:

— Я відкрию свій Клуб. Кращий. Ми там будемо їсти тільки солодощі, і там точно не буде жодного хлопця! От побачиш.

Я стенула плечима й повернулась у клас. Уже дзвенів дзвоник, а в нас сьогодні була контрольна з множення. Я люблю математику, і навіть Флорина поведінка тут нічого не зіпсує. А недавно я вивчила такий віршик про множення:

Яблуко червоне
Хто захоче, з'їсть.
Сім разів на вісім —
Це п'ятдесят шість.

Але все одно мій добрий настрій зник. Я цілий день думала про Флору. Дорогою зі школи додому мама помітила, що я не в гуморі, й спитала:

— Уже там за вас добре взялися?

Я сиділа, замисливнись, і нічого не відповіла.

Запала тиша. Чути було тільки двигун автівки. Нарешті я озвалась:

— У мене проблеми.

— Розповідай, не бійся. Може, разом ми знайдемо вихід, — підбадьорила мене мама.

Я зовсім не була у цьому впевнена, але невдовзі розповіла про нашу розмову із Фло.

— І коли я їй сказала, що ми взагалі-то зовсім не ходимо на теніс, вона образилася, — завершила свою розповідь я.

Мама була налаштована оптимістично:

— Не переймайся. До завтра вона заспокоїться.

— А ось і ні, — заперечила я. — Флора виходить із Таємного Клубу Супердівчат!

— Так, у вашому віці з толерантністю непросто, — промовила мама.

Круто! ТОЛЕРАНТНІСТЬ. Знову складне слово!

— Я, мабуть, теж із Клубу вийду. Ти мене мучиш незрозумілими реченнями.

Мама почала розповідати, що означає «толерантність». Та коли виявилось, що я нічого не зрозуміла, сказала:

— Поясню тобі на прикладі Флори й Марти. Ось подумай про них. Здається, що вони такі різні, правда?

— Так, вони зовсім різні, — погодилась я.

Однак мама гадала інакше.

— Але вони однаковісінькі. Однаково зляться одна на одну і хочуть, щоб їхнє було зверху.

Я не могла з нею не погодитись.

— Толерантність — це коли ти приймаєш інших. Якби дівчата приймали одна одну, то, може, Флорі не довелось би виходити з Клубу.

«Мама знову має рацію», — подумала я. А вголос спитала:

— Тоді я можу запропонувати Флорі, щоб вона помирилася з Мартою і повернулась до Клубу?

Мама згодилася, що це було б найкраще вирішення справи.

— Однак проблема в тому, що сьогодні ввечері у нас таємна нарада. Ми хочемо розгадати шифр і прочитати листа, — пробурмотіла я. — Якщо Флори не буде, то вона вже точно образиться назавжди й ніколи не повернеться у Клуб.

— Бачу, що для тебе це дуже важливо, — мовила мама. — Якщо хочеш, можу зателефонувати до Лаури.

Я зраділа. Іноді так добре поговорити з мамою.

— Але що ти їй скажеш? — спитала я.

— Скажу правду. Що ви працюєте над важливим проєктом Таємного Клубу і без Флори не обійтися.

Коли ми добралися додому, мама зачинилась у спальні й довго розмовляла з пані Лаурою. Вийшла вона звідти з похмурим обличчям.

— Не знаю, чи щось вдалося, — визнала вона. — Флора сказала лише, що подумає, чи їй приходити сьогодні на зустріч Таємного Клубу.

Не зронивши жодного слова, я поплентались до своєї кімнати. Залізла у схованку під столом і дістала Таємний Щоденник. Усі свої обра́зи й сумніви я виливала на його сторінках. Він уміє зберігати таємниці й усе витримає!

Час минав, проте на зустріч Клубу щось ніхто не приходив. Наше засідання мало початись о шостій, тож я вже почала втрачати терпець. А мої сподівання на те, що найважливіший проєкт Клубу матиме успіх, помаленьку розвіювались. Коли я вже зовсім була у відчаї, до кімнати влетіли Франек, Фаустина й Анєла.

— Ви запізнилися! — дорікнула я їм.

Франек відповів із гумором:

— Ти що, вирішила працювати шкільним дзвоником? Ми пречудово розважимось, ось побачиш!

— А якщо нам забракне часу? — я й далі ображалась. — У нас важливий проєкт.

— Нічим не переймайся. У Франека Є ІДЕЯ! — змовницьки зашепотіла Анєла.

— Авжеж! — вигукнув Франек. — Дивіться сюди...

Однак він не встиг доказати. Бо скрипнули двері й до кімнати заповзла... Флора. Вона стала у кутку й несміливо зиркала на нас. Франек, Фаустина й Анєла здивовано подивились на неї.

— Ви нічого не знаєте? — буркнула Фло. — Я думала, Емі вам уже все розповіла. Я вийшла з Таємного Клубу.

Мені стало її шкода. До того ж я зовсім не така черства! Я підійшла до Флори і взяла її за руку.

— Ми різні й однакові. Це називається ТОЛЕРАНТНІСТЬ. Мені це мама пояснила. Поговори з Мартою, і тоді все буде гаразд.

— І мені не доведеться виходити з Таємного Клубу? — заверещала Флора.

— НІ!!! — хором вигукнули ми.

А потім ми взялися за нашу загадку. Я обережно дістала листа з таємної бази й дала його Франекові.

— До роботи! — гукнув Франек. — Назвіть перші літери абетки.

— Ми знову граємось у школу? — Флора дала йому штурханця.

— Стривайте! Здається, я також знайшла слід! — промовила Фаустина.

Ми всі схилилися над листом.

— Бачу! — зраділа я. — Та ж це зовсім просто! Перед кожною літерою додали ту саму літеру абетки!

Якщо ми викреслимо ці літери, то зможемо прочитати листа.

Однак Фаустина запропонувала, щоб ми не псували його.

— Хай він залишається на згадку для Таємного Клубу. Краще переписати текст!

Я дістала з письмового столу кілька аркушів і ручки. Франек почав писати, а ми диктували.

Для ТКСД (тобто для Таємного Клубу Супердівчат)

Коли почнуться сніги й морози, коли у стайні повіє холодом, а річку скує міцна крига, приїздіть до Жаб'ячого Рогу, станьте нашими свідками, бо Геля з Костеком одружуються! Тож гайда на коней! Мчіть з нами вдалину серед дібров та полів! Хто не опанував мистецтва їзди верхи, хай хутко вчиться! Бо вже нема часу на всякі дурниці!

Усі, що були в кімнаті, вражено загомоніли. Тепер усе ясно. Виходить, це лист від Гелі з Костеком! Це вони прислали нам зашифрованого листа!

— То вони женяться! — єхидно проказала Флора.

— Беруть шлюб! — виправив її Франек.

— Беруть шлюб, женяться. Яка різниця?

Я пояснила, що оженитися може чоловік, а жінка виходить заміж. Я це дуже добре пам'ятала, бо в нас таке було на контрольній у другому класі.

— Завдання, яке перед вами поставили, зовсім не просте, — озвалася Фаустина.

Я зморщила лоба.

— Що значить: перед ВАМИ? Здається, перед усім Клубом. І перед тобою теж.

— Ну, я вже вмію їздити верхи, — Фаустина виструнчилась. — Тож я точно поїду на весілля.

Ми перезирнулися. Ну звісно! Та ж тут усе ясно! Ми поїдемо на весілля Гелі з Костеком, якщо навчимось їздити верхи!

— У мене не дуже з цим складалось. Навіть Малазі я не сподобався, — зітхнув Франек.

— Я теж у цьому не надто просунута, — підхопила схвильована Анєла. — Я навіть не сідала на коня.

Ми з Флорою також похнюпилися. Бо небагато пам'ятали з наших занять у Жаб'ячому Розі. Тож сподівань на те, що ми потрапимо на весілля Гелі й Костека, було зовсім мало.

Однак Франек вирішив не здаватися. Він уже почав вибудовувати плани.

— Агов, дівчата! Ми розшифрували листа! Перший крок ми вже зробили. А тепер треба зробити другий. Тобто виконати умови, про які написали Геля з Костеком. Скільки нам часу потрібно, щоб навчитись їздити верхи? — спитав він Фаустини, але вона тільки стенула плечима, дивлячись кудись у вікно.

Я підійшла до неї й шепнула:

— Фау, ми Таємний Клуб. Пам'ятаєш наше гасло?

Бо ми Таємний Суперклуб. Це клас!
Врятуємо і друзів від біди,
Безстрашні ми у Клубі назавжди!
У нас нема хвальків, ніхто не плаче,
Бо супертовариство ми дівчаче!

— Ти нам потрібна! — підтримала мене Анєла.

— Та добре вже, добре, — озвалася присоромлена Фаустина. — Можете покладатись на мене.

— Ти не вийдеш із Клубу? — спитала Флора й підморгнула мені.

До Фаустини повернувся добрий гумор, тож вона взяла ініціативу в свої руки.

— Ми переходимо до кроку номер два, — промовила вона. — Якщо ви запишетесь до Клубу верхової їзди, до якого я вже записана, у нас є чималі шанси. Ви всі навчитесь їздити верхи.

Потім Фау взяла наплічник і вийняла з нього свій улюблений гаманець, на якому, звісно ж, був зображений кінь. Щось звідти дістала.

— Дивіться! Це моє клубне посвідчення! — гордо сказала вона.

На її долоні лежала картка завбільшки з учнівський квиток. Зверху було написано: «Клуб верхової їзди “Коні й лошата”». Посередині було фото Фаустини, її ім’я й прізвище, а також підпис.

Ми тільки й могли, що захоплено щось вигукувати.

— Ану покажи! — Флора взяла кольорову картку. Пильно її роздивилася з усіх боків і передала далі. На звороті картки була табличка. В одній із кількох клітинок ми побачили зображення коня й напис «Аляска».

— Я намалювала свого коня.

— У тебе є свій кінь? — здивувалась я.

— Ні. Поки що немає, — відповіла Фаустина. — Це Аляска, кінь із конюшні, на якому я їжджу.

Ми закивали головами — на знак того, що нам дуже подобається Аляска, хоча, по правді кажучи, з малюнка не дуже було зрозуміло, якої вона масті.

Натомість Франек відразу засипав Фау питаннями:

— А коли заняття в конюшні? Як часто треба тренуватися?

— Конюшня працює щодня. Два заняття на тиждень — для вас саме те, що треба, — відповіла Фау.

— Ой ні! — простогнала Анєла. — Моя мама каже, що більше ніяких занять не втисне у мій розклад. Я вже ходжу на акробатику, сучасні танці, малювання, а ще до басейну, — перераховувала вона свої гуртки.

Виявилося, що в нас усіх тиждень уже весь розписаний. Франек хотів, щоб у нього залишався на час на експерименти, а крім того, тато записав його на китайську і футбол. Ми з Флорою, окрім іспанської, ходили на плавання, театральні заняття і головоломки.

— Головоломок і на уроках вистачає, — промовив Франек. — Так що на цей гурток ходити вам не треба!

— Моя мама також не згодиться на ще якісь додаткові заняття, — сказала я. — А то вона швидко розориться.

У нас усіх було занять по вуха. Тож ми боялися, що майже нема шансів на те, аби батьки записали нас на верхову їзду. Тільки Фаустина була цілком спокійна. Вона сказала:

— Я ходжу тільки на їзду верхи. Ну, й на арфу.

— Тобі пощастило, — буркнула Флора.

Аж тут ми почули, як звідкись з іншої кімнати нас гукають батьки. Сьогодні правила були чітко визначені, так як і обіцяв професор. На засідання нам було відведено годину, і цей час якраз минав. Я гарячково думала, що би такого зробити, щоб нас віддали на їзду верхи. І нарешті мене осяяло.

— Нам треба переконати батьків, що коні для нас надзвичайно важливі. Маємо дуже постаратися, щоб вони нас підтримали.

Флора здивовано глянула на мене.

— Це суперпросто. Тільки от як це владнати?

У мене вже була готова відповідь:

— А так, як Геля з Костеком придумали!

Франек подивився мені прямо в очі. Він уже знав, що́ я маю на увазі!

— Нам треба написати листа! — сказала я. — Зашифруємо його так самісінько, як Геля з Костеком.

— Тоді ми маємо створити шифр, — загорілась Анєла. — Круто! Ось це завдання для Таємного Клубу.

Я дістала папір і фломастери.

— А якщо ми зробимо трохи по-іншому й почнемо з кінця абетки? — запропонувала я. — Напишіть свої імена, вставляючи «я» перед кожною літерою.

І написала власне ім'я, вийшло ось так: «ЯЕЯМЯІ».

— Чудово! У нас є свій шифр! — зрадів Франек. — Це буде таємна абетка Таємного Клубу.

Однак ми більше нічого не встигли придумати, бо професор із Флориною мамою напали на нашу таємну базу, викрали учасників Таємного Клубу і забрали їх додому.

ЧАРІВНА КВАСОЛИНА І ТАЄМНИЙ ЛИСТ ДО БАТЬКІВ

Наступні кілька днів ми були в дуже піднесеному настрої. Ми створили таємну абетку і невдовзі нею скористаємось! На перервах у школі ми зустрічалися з Анєлою, Флорою та Фаустиною, вирішуючи, що ж нам писати у листі до батьків. На найближчому засіданні Клубу ми з дівчатами і Франек мали скласти листа. Врешті-решт боротись було за що — адже йшлося про поїздку до Жаб'ячого Рогу, та ще й на весілля! Я ще ніколи не була на весіллі. Бачила тільки одруження Барбі й Кена. Звісно ж, не насправді, а в кіно. А зараз у мене вже немає ніяких Барбі. Я серйозна керівничка Таємного Клубу Супердівчат!

— Я чудово знаю, що таке весілля, — якось похвалилася Флора. — Моя мама обожнює такі святкування! Я тоді завжди маю одягати тюлеву сукню з велетенськими буфами.

— Оту, в якій ти схожа на безе?

— Це ти в своїй схожа на безе! — відрізала Флора.

І ми всі вибухнули сміхом.

— А одне весілля взагалі було в замку! — додала Флора.

— І в нареченої сукня була схожа на безе? — захихотіла я.

І ми знову так реготали, що довго не могли заспокоїтись. Лише тоді, як продзвенів дзвоник, порозбігалися по класах.

Вчителька звернула увагу на наше шушукання. Одного дня після уроків вона покликала мене до себе.

— Еміліє, ти рідко проводиш час із дітьми з нашого класу, — сказала вона.

— Та ні! Ми постійно розмовляємо з Анєлою! — відповіла я, бо так воно й було.

— Це правда. Я часто бачу вас разом. А крім Анєли, є хтось у класі, з ким ти приятелюєш?

Я замислилась, що ж мені відповісти, бо нікого такого не було.

— Зараз, секундочку, — сказала я, трохи поміркувавши. — Коли я підіймаю руку, щоб відповісти,

Губерт мені її викручує. Куба вкинув у мій суп свою моркву. Домініка вчора вилляла сік на мою нову сукню. Кароліна вважає, що я зарозуміла. Маґда...

Я би могла продовжувати, але вчителька перебила мене:

— Зрозуміло. Всі тут мають, скажімо так, свою думку. А ти добре ладнаєш зі своїми подругами?

— Та звісно. Ми ж Таємний Клуб Супердівчат! — випалила я. І тут же прикусила язика.

Вчителька глянула на мене і всміхнулася:

— Усе гаразд. Я також колись у таке гралася. Біжи на перерву.

Коли я прибігла до дівчат, відразу розповіла їм, про що ми говорили з учителькою.

— Мабуть, вона взагалі не здогадалася, що ми таємна організація, — сказала Флора. — Дорослі не вірять, що це все серйозно.

— А я думаю, що ми привертаємо до себе увагу всієї школи, — міркувала Фаустина. — У моєму класі всім цікаво, хто ви такі й звідки я вас знаю. Як почнуть щось підозрювати, то ми швидко опинимося на килимку в директорки.

Ми вражено глянули на неї:

— На КИЛИМКУ?

— Хлопці з мого класу вже двічі на нього потрапляли. А якщо ти потрапляєш туди втретє, то... — Фау зробила паузу.

— То що тоді? — перелякано спитала Анєла.

— Тоді тебе переводять до іншої школи! — дуже серйозно промовила Фаустина.

Отож ми вирішили, що наступні зустрічі Таємного Клубу в школі будемо проводити дуже обачно. І не реготатимемо аж так голосно.

— Поки тепло, можемо зустрічатися на стадіоні, — запропонувала Анєла.

Флорі ця ідея не дуже сподобалася.

— Ти найкрутіша на шведській стінці. Хочеш повипендрюватись.

— Я можу вас навчити всього, що вмію. Це дуже просто, — намовляла нас Анєла.

Однак Фаустина сказала, що лазити по шведській стінці вона не буде. Бо якщо зламає руку, то не зможе грати на арфі.

— Ото був би скандал, — зітхнула вона.

— Коли ми познайомились у дворі, ти лазила по всіляких мотузках, наче павук, — нагадала я.

Фау всміхнулась.

— Та ясно! У нашому дворі було так добре лазити! Але зараз із цим покінчено.

— А я вже ламала руку, — похвалилась я.

І запропонувала, щоб ми просто погрались у піжмурки, а таємні наради можемо проводити на засіданнях вдома — у мене чи у Флори. Крім того, ми вже в суботу зустрічаємося з Франеком.

— Мама мені казала, що ви приїдете до нас. Тому в суботу зранку я маю поприбирати в кімнаті, — буркнула Фло.

— У прибраній кімнаті думається краще, — мовила Фаустина.

— А ти звідки знаєш? — спитала я.

— Так мама каже. У мене завжди багато цікавих думок, коли поприбираю в кімнаті, — пояснила Фау.

Мабуть, самої думки про прибирання Флорі вже було досить.

— Я побігла, — сказала вона, підвівшись. — У нас зараз урок природознавства. Треба ще підготуватися.

— Ти така старанна! — підколола я її.

Флора мені підморгнула.

— Я побилась об заклад із Мартою, що в мене з природознавства будуть тільки найвищі оцінки.

«Ну-ну! — подумала я. — Флора полюбила якийсь предмет! Круто!»

— Незабаром ми будемо вирощувати квасолю, — розповідала далі Фло. — Треба принести слоїк з водою, зверху покласти марлю, закріпити її канцелярською ґумочкою і покласти на неї квасолину. У мене має вирости найбільша квасоля!

— Вона буде така гігантська, як у казці про Яся й чарівну квасолю*? — поцікавилася Фаустина.

---

* Відома польська народна казка. — *Прим. пер.*

Флора покрутила головою і подалася до свого класу.

— А чого це Флора пішла? — здивовано спитала Фаустина. — Я хіба її чимось образила?

Я відчула, що маю пояснити, в чому річ. Сказала, що Фло не читає стільки, як Фау. І не знає казки про чарівну квасолю. І, мабуть, навіть «Гаррі Поттера» не читала. Можливо, тому їй стало неприємно.

— Ви ж, напевно, знаєте, що таке толерантність? — спитала я. — Ми всі різні — і водночас однакові. Флора вже раз хотіла вийти з Таємного Клубу. Але тоді мама розповіла мені про оцю толерантність і мені вдалося переконати Фло, — вела далі я. — Слухайте, а може, нам треба підсунути їй якісь цікаві книжки? Може, щось про природу? Або про коней? Спитаю свою маму, вона дуже любить читати.

Дівчата погодились, і ми побігли на свої уроки. До кінця тижня зустрічались у школі рідше. Флора взагалі не приходила на наші таємні засідання. Мимохідь кидала нам «Привіт!» і казала, що їй треба доглядати свою квасолю у класі.

— Та ж її ніхто не забере, — дивувалась Анєла.

— Мені треба її охороняти. Хтось може ненавмисне скинути слоїчок з вікна або влучити в нього м'ячем. А цілком може бути, що з моєї квасолини виросте чарівна квасоля, — спокійно пояснювала Флора і зникала.

Нарешті настала субота. Я цілий день чекала, коли ж ми виберемось додому до Флори.

— Коли вже ми йдемо? — допитувалась у мами.

— Відтоді, як ти востаннє про це запитувала, ще й десяти хвилин не минуло. Поїдемо, коли Лаура зателефонує і скаже, що твоя приятелька поприбирала в кімнаті, — відповіла мама.

«Флора і прибирання — це тяжкий випадок», — подумала я, а вголос сказала:

— Ну, тоді ми і до завтра не виїдемо, а я вже голодна.

Мама тільки зітхнула і знову взялася до своєї книжки. Я розлютилась, бо хіба книжка може бути важливіша за засідання Таємного Клубу?

Нарешті надійшов сигнал, що ми можемо вирушати. Я вже була готова. У наплічник я запакувала Таємний Щоденник і кілька важливих речей: олівці, написане якими не стирається, чарівний папір — коли пишеш на ньому ручкою, напис зникає, і мій найцінніший скарб — пристрій для підслуховування.

Фаустина вибралась із нами. Час в автівці тягнувся дуже довго.

— Мабуть, вони вже почали засідання без нас, — нарікала я.

— Ти так думаєш? — занепокоїлася Фаустина.

Я помітила, що мама стишила музику й дослухається до нашої розмови.

— У вас якісь великі таємниці, — сказала вона.

— Ні-і-і-і! — вигукнули ми в один голос, потайки стиснувши одна одну за руки.

Мама трохи помовчала і нарешті відповіла:

— Знаю, знаю, я теж так батькам казала.

Як тільки ми повилізали з автівки, до нас відразу підбігли Франек, Флора й Анєла.

— Я ж казала! — пробурчала я, виповзаючи з машини. — Ми останні! Ви вже, мабуть, почали засідання без нас.

Франек виструнчився й відрапортував:

— НІЗАЩО! Бо ми Таємний Суперклуб! Це клас! Дотримуємося наших правил.

Усі зареготали.

На порозі дому з'явилась пані Лаура. Як завжди, на ній була дуже вузька спідниця (мама каже, що така спідниця зветься «олівець») і черевички на високих підборах.

— А що, твоя мама і вдома ходить на шпильках? — змовницьки зашепотіла я до Флори, але відповіді не дочекалася, бо пані Лаура якраз сповістила, що запрошує всіх на гарячі спагеті на терасу за будинком. Ми всі гуртом рушили туди. Мабуть, не тільки я була голодна. Окрім макаронів, нам усім довелося ще з'їсти тарілку овочів — броколі, цвітної капусти й перцю.

— Щоденна порція вітамінів! — промовила пані Лаура, а потім поклала собі жменьку спагеті й гору овочів.

— Ви їсте, наче горобчик, — озвався професор.

У загальному гармидері я спробувала перекласти Франекові свою порцію перцю, але мама це помітила й овочі повернулися у мою тарілку. Ми втягували в себе спагеті й бились об заклад, кому вдасться пустити по підборіддю довшу нитку макаронів.

Тож дуже швидко ми геть замурзалися томатним соусом. Пані Лаура відправила нас у ванну, але перед цим перевірила, чи в наших тарілках вже немає овочів.

— Це зветься здоровий спосіб життя, — нарікала Флора.

— Треба починати засідання, — промовила я. — У нас не так багато часу.

Отож ми зачинились у Флориній кімнаті. Тісненько всілись колом і взялися до справи. Виявилося, що Франек уже написав листа і навіть придумав, як його зашифрувати. Суть таємного шифру полягала в тому, щоб у кожному реченні по черзі за абеткою (але з кінця!) дописувати ту саму літеру перед кожною літерою тексту. Ми хотіли, щоб шифр був суперскладний, тому вирішили, що будемо використовувати всі літери абетки, навіть м'який знак. Крута ідея!

Після цього ми разом прочитали зашифрованого листа. Він починався так:

ЬДЬОЬРЬОЬГЫ ЬБЬАЬТЬЬЬКЬИЬ!

ЯВяи язяняаяєятяе, яяяк ямяи яляюябяиямяо яЖяаябя'яяячяияй яРяіяг!

— Вони швиденько збагнуть, у чому річ! — сказала я. — Відразу можна зрозуміти, що йдеться про Жаб'ячий Ріг!

Тому ми змінили перше речення.

ЯВяи язяняаяєятяе, яяяк ямяи яляюябяиямяо яряічякяу, яляуягяи яй якяояняеяй.

Потім ми написали про одруження Гелі й Костека. А наприкінці листа додали, що готові зробити все, на що стане сил, аби тільки почати вчитись їздити верхи. І найкраще, якщо це відбуватиметься у клубі «Коні й лошата».

Франек придумав, що ми можемо підкинути листа на терасу, де сиділи батьки. Цю операцію ми вирішили здійснити з балкона, що був якраз над терасою. Листа запакували у пластикову пляшку. До неї прив'язали довгу мотузку, яку Франек завбачливо приніс із собою.

— Правда ж, добре, коли у Таємному Клубі Супердівчат є хлопець, скажіть? — вихвалявся він.

Ми безшелесно прослизнули з Флориної кімнати до кімнати над балконом. Двері на балкон були зачинені.

— Е-е-ех, — зітхнула Флора. — Хтось нам ставить ломаки в колеса. Як ми відчинимо двері так, щоб батьки не звернули уваги?

— Хтось із нас має спуститися донизу і відволікти їхню увагу, — промовила я.

— Я сходжу, — запропонувала Фау. — Скажу, що в мене болить рука.

Ідея була геніальна. Фаустина щодня мала займатись на арфі, і всі знали, що батьки дуже хвилюються за її руки. Ми притиснулися до шибки, щоб спостерігати за розвитком подій. Ось уже Фау з'явилась унизу й показувала свою руку, кривлячись і жестикулюючи другою рукою. Дорослі посхоплювалися з місць і стали занепокоєно оглядати її кисть. Тоді Флора, скориставшись із галасу, відчинила балкон. Франек поволі почав спускати з балкона пляшку. Однак пляшка втрапила у трояндовий кущ, що ріс біля тераси. Якби не Фаустина, батьки нічого б не помітили.

— Що це? Що це? — зчинила ґвалт Фау.

Дорослі знову позривалися з місць і тепер штовхалися біля троянди. Професор обережно підняв пляшку. Потім роззирнувся на всі боки. Проте нас на балконі не помітив. Бо ми вже давно сиділи у Флориній кімнаті. А незабаром до нас приєдналася Фаустина.

— Ти була така відважна! — я схвально поплескала її по плечу.

— Якби не ти, наш план з тріском би провалився, — підтримала мене Анєла.

Флора закотила очі.

— А ви могли би говорити нормально? Куди з тріском провалився?

— Моя бабуся так каже, а вона дуже добре все знає, — роздратовано сказала Анєла.

Тож Франекові довелося пояснити, що це означає. Просто йдеться про те, що з нашого плану могло би нічого не вийти.

— Толерантність! — сказала я врочисто, але всі мене стали перекрикувати: мовляв, я поводжусь як директорка і ось-ось, чого доброго, викличу їх на килим.

Я стенула плечима. Ну і як після цього можна вірити, що ми всі однакові? Проте дуже швидко я змінила гнів на милість, бо ми вирішили пограти у твістер. Розстелили на підлозі килимок із кольоровими колами. І вже за мить вигиналися, ставлячи руки й ноги відповідно до того, що показувала стрілка. Ми чудово розважались, але, якщо чесно, чекали, коли ж батьки якось відреагують. Уважно прислухалися, чи хтось до нас не йде.

Минуло кілька хвилин, і до кімнати зайшов професор. Ми в цей час переплелись на килимку у справжній вузол. Франеків тато багатозначно прокашлявся і приєднався до нас.

— Я прийшов із важливою місією! Схоже на те, що ми отримали ще одного таємного листа, — сказав він, поставивши ліву руку на зеленому кружечку, а праву — на червоному.

Ми водночас зірвались на рівні ноги.

— Стрілка показала, що нам треба вставати? — здивувався професор, і далі намагаючись зав'язати себе у вузол на ігровому полі.

Ми напружено перезирнулися. Чи дорослі розшифрували нашого листа? Чи вони згодяться на наші умови?

Франек промовив:

— Оголошуємо, що гра закінчилась! Тату, розв'яжись, бо нам треба порозмовляти серйозно. То був зашифрований лист?

Професор скорчив стурбовану гримасу й відповів:

— Так. Нарада щодо того, як його розшифрувати, досі триває.

— То ви ще не змогли прочитати листа, а ти вже до нас прийшов? — скривився його син.

Флора примружилась і прошипіла:

— А може, ви шпигун? І хочете вивідати у нас важливу інформацію.

Ми накинулись на професора, і він одразу ж опинився за порогом кімнати.

КОТЕНЯТА, КОНІ Й ЛОШАТА

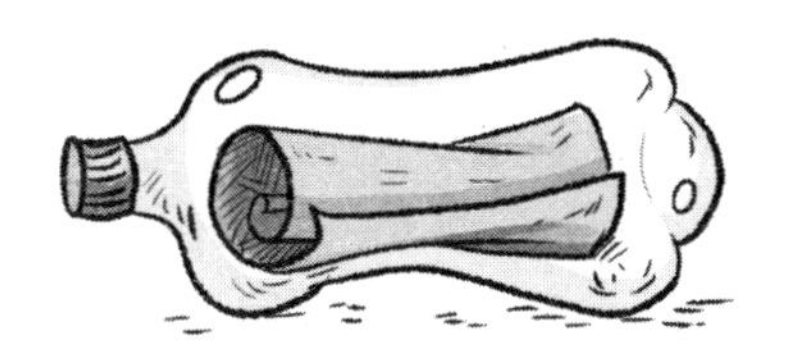

Нарешті дорослим вдалося прочитати листа. Мій тато хвалився, що це його заслуга. Він вважав, що у цій справі йому вельми допоміг фах архітектора. Професор мав іншу думку. Стверджував, що це він доклав особливих зусиль для того, щоб шифр був розгаданий. Звісно, мама й пані Лаура запевняли нас в іншому.

— Це ми найбільше напрацювалися! — доводили вони, показуючи гору папірців із записами, що мали бути свідченням їхніх виснажливих старань.

Ми весело поглядали на батьків.

— Ну, а тепер переходимо до справи, — запропонував мій тато. — Здається, лист прийшов від якогось Таємного Клубу.

— Не від якогось! А від нашого Таємного Клубу Супердівчат! — закричала обурена Флора.

Професор поважно додав:

— І Суперхлопця.

Франек гордовито розпрямив плечі.

Отож тепер усе було ясно. Шифр розгадано, листа прочитано, хто його відправив — теж з'ясовано.

Мій тато вів далі:

— Ваш таємний план — це навчання у клубі верхової їзди. Тільки ми не зовсім зрозуміли, чому це так важливо і звідки взялась ідея написати про це в зашифрованому листі.

Я відчула, що зобов'язана відповісти. Адже це я керівничка Таємного Клубу!

— Ми написали зашифрованого листа, щоб ви переконались, що це не якесь звичайне прохання, — пояснила я. — Ми розробили шифр і непомітно підкинули листа.

— Лист був у пляшці, — додала пані Лаура. — Як же це романтично!

Ми здивовано зиркнули на неї, бо не бачили в цьому нічого романтичного.

— Ми дуже цінуємо вашу креативність і зусилля, — вів далі тато. — Проте ми ще досі не дізналися, чого це раптом вам усім заманулося записатись у клуб верхової їзди. Невже насуваються якісь проблеми у школі?

Флора не витримала:

— Костек із Гелею одружуються!

— Це ми знаємо! — втрутилась мама.

— Якщо ми навчимося добре їздити верхи, будемо свідками на їхньому весіллі! — вигукнула Фло.

— Як же це романтично! — повторила пані Лаура.

Отак уся наша таємниця вийшла на яв. Ми втупились у Флору, а та почервоніла як буряк.

— Ну й що? Та я нічого такого не хотіла! — знічено виправдовувалась вона.

Дорослі, проте, були задоволені, що все обернулося саме так.

— Тепер нам усе зрозуміло, — промовила мама. — Бо ми все міркували: як таке може бути, щоб п'ятеро дітей в один день запалали любов'ю до іпоспорту.

Тато поспішив пояснити:

— Це означає кінний спорт.

Проте ми хотіли дізнатися, чи нас запишуть до клубу верхової їзди, тож я спитала прямо:

— Тобто це означає, що ви нас запишете?

Дорослі перезирнулись, а мама відповіла:

— А ви готові до кропіткої праці й виснажливих занять? Бо це не тільки розвага — це ще й море роботи. Ви будете прибирати кінські стійла? Вас не покине ентузіазм, коли треба буде чистити коней? І з отих от, ну, зі стійл вигрібати їхні... е-е-е... купи?

— І ви не можете занехаювати навчання в школі, — додав професор. — Ви маєте завжди бути готові до уроків, а на контрольних отримувати найвищі оцінки.

— І з математики теж? — застогнала Флора.

— З усього! — озвався тато. І швидко додав: — Ага! А ще гроші. У вас уже так багато занять, які ми оплачуємо, що наші сімейні бюджети не витримають додаткових розваг. Тому ви маєте відвести на оплату клубу частину кишенькових грошей.

Ми невпевнено перезирнулись.

— Нам треба порадитися, — спокійно сказала я.

Тож ми подалися до Флориної кімнати.

— Гарний хід, — похвалив мене Франек. — Ми маємо добре все обміркувати, перш ніж згоджуватись на всі умови.

— Я думала, що на нас чекає зовсім інше. Будемо скакати на конях і годувати їх морквою та яблуками, — промовила Анєла, зітхаючи.

Фаустина, що досі мовчала, пирхнула:

— Ну, а хто має чистити коней?

— А щодо умов, то хіба у нас є якийсь вибір? — додала я.

— Ви завжди готові до уроків, а книжки читаєте ще перед тим, як вчителька дасть завдання їх прочитати, — Флора скривилась. — У мене все значно гірше.

— А може, нам створити у Клубі науковий гурток? — загорівся Франек. — Можемо допомагати одне одному з уроками й обговорювати різні цікаві теми.

— Я недавно чула про нову космічну експедицію, — сказала Фау. — Одна космонавтка взяла зі собою замість їжі у тюбиках шоколадку й справжню каву.

— На найближчому засіданні наукового гуртка можемо обговорити найвизначніші космічні експедиції! — гукнув Франек.

— Ви у більшості! — Флора вирішила поступитися. — Згоджуємось на все і на додачу створюємо науковий гурток!

Проте Франек запропонував, щоб ми вели переговори щодо умов.

— Ми не можемо згоджуватись на все беззаперечно. Скажемо батькам, що на найкращі оцінки ми не згодні. Бо ніхто не отримує самі лиш високі бали.

— Моя вчителька математики каже, що на найвищий бал знає тільки вона, — втрутилася Фаустина.

— І ще ми маємо право двічі на місяць не зробити уроків, — додала я. — Так у кожному класі дозволяють.

Невдовзі, коли ми вже знали точно, на які умови можемо згодитись, подалися назад до дорослих. Я спокійно навела їм наші аргументи. Батьки пошептались між собою, аж нарешті професор прокашлявся і мовив:

— Ми проаналізували вашу пропозицію й можемо на неї погодитись.

— А як же я? Мої батьки також згодні? — пропищала Анєла.

Тоді моя мама сказала, що телефонувала до них і, швидше за все, вони згодяться на додаткові заняття з їзди верхи.

— Урра! Значить, Таємний Клуб невдовзі почне тренуватися! — заверещала Флора. — Тільки шкода, що через це мені доведеться вивчити табличку множення.

— Приємне вимагає жертв, — серйозно промовив професор, а потім потиснув нам усім руки й сказав:

— Вітаю! Ви придумали гарну стратегію! І непогано обвели нас навколо пальця. Зашифрований лист у пляшці — це мила несподіванка.

Коли від подій у Флориному домі минув тиждень, ми стали власниками посвідчень клубу верхової їзди «Коні й лошата». Ще не так давно всі ми заздрили, що таке посвідчення є у Фаустини, а тепер гордо стискали в руках такі самісінькі картки.

На кожному посвідченні під написом «Клуб верхової їзди "Коні й лошата"» були приклеєні наші фотографії, а нижче стояли наші підписи. Були надруковані також наші дані: імена, прізвища, адреси та телефони батьків. На звороті посвідчення було місце для даних про коней, на яких ми будемо їздити. У Фаустини там уже була записана Аляска, а решта учасників клубу, тобто Флора, Анєла, Франек і я, ще чекали на своїх коней, тож ця графа була порожня.

Перші заняття у клубі розпочиналися в останні дні вересня. На нас чекало по дві години тренувань у суботу й неділю. Були чудові осінні вихідні, і ми почувались так, ніби ще тривають канікули. Сонце добре припікало, тож ми могли спокійно гасати надворі. Листя на деревах уже змінювало колір на мідний та золотий.

Клуб був за містом. Ми вирушили рано-вранці, бо наші тренування починалися вже о дев'ятій. Мама, що сьогодні відвозила Флору й мене, постійно позіхала за кермом і повторювала, що їй треба підпирати собі повіки сірниками. Зате ми розмовляли лише про те, що кожен день наближає нас до поїздки до Жаб'ячого Рогу! А вже зовсім скоро ми почнемо вчитись кататися верхи, а згодом будемо гордо їхати в кінній весільній процесії. Правда, круто?!

Нам так кортіло розпочати навчання, що дорога тягнулася нестерпно довго. Нарешті ми звернули туди, де простягались поля й ліси. Тепер ми їхали піщаною дорогою, здіймаючи за собою хвилі куряви. Мама поскаржилась, що їй доведеться здати машину на мийку. Уздовж дороги було видно все менше будівель, а городів та лугів ставало все більше.

— Як тут мило. Ну зовсім як у Жаб'ячому Розі, — промовила мама.

Я була з нею згодна, бо ми якраз проїжджали повз корів, що зацікавлено на нас дивилися.

— А порахуймо корів! — гукнула Флора. Проте коли ми дійшли до сорока, вирішили відмовитись від цієї ідеї. Бо куди оком не кинь, лежали пасовиська, і схоже було на те, що корів може набратися ціла сотня!

Мама сказала, що наш запал дуже швидко згас. Але вона таки сподівається, що наше прагнення навчитись їздити верхи не зачахне так само швидко. Ми одностайно підтвердили, що наші плани стосовно коней серйозні. За кілька хвилин мама, якій уже трохи набридла дорога, зателефонувала до професора, що також їхав до клубу, аби довідатись, чи він уже на місці. Але професор не відповідав.

— Невже ми заблукали? — спитала я занепокоєно. Я добре знаю, що в мами бувають проблеми з орієнтацією на місцевості — вона почуває себе впевнено тільки з навігатором.

— Наш автомобіль, на щастя, сам нас веде, — визнала мама.

Дорога ще вилася серед полів, аж нарешті на обрії попід лісом замаячіли будівлі. Коли ми під'їхали ближче, побачили величезні ворота, а над ними — табличку з написом: «Кінний двір “Коні й лошата”».

— Уррра! Ми на місці! — зраділи ми.

— Але це не клуб. Це якийсь двір, — скиглила Флора. — Тут, мабуть, живуть корови й кури.

Ворота розчинились, і ми заїхали на територію кінного двору. Мама запаркувала автівку на невеличкій стоянці збоку від в’їзду. Перед нами лежала велика площа, вимощена камінням. Мама пояснила нам, що таке покриття зветься бруківка. На площі стояло кілька дерев’яних будинків, дуже схожих на Костекову стайню в Жаб’ячому Розі.

Ми вже всі були на місці, бо професор приїхав відразу після нас. Проте як тільки-но Фаустина, Франек та Анєла вийшли, шини завищали і він відразу ж помчав до міста. Ми зацікавлено роззиралися довкола.

— Ой, тут має бути багато стійл для коней, — мовила Флора.

Фаустина не забарилась із відповіддю:

— Тут їх двадцять. Потім усе побачите, бо стайні там далі ззаду. — Очі в неї блищали, і видно було, що вона почувається тут як у себе вдома.

Фау провела для нас невеличку екскурсію. По черзі показувала нам господарські будівлі: стодолу, де зберігалося сіно й солома на підстилку для коней, склад із кормом, куди треба було підійматися сходами, і підвал, в якому зберігались морква та яблука. Підвал мені найбільше сподобався. Він був викопаний у землі, і там стояла приємна прохолода. Ми спустились туди кам'яними вузенькими східцями й опинились у напівтемряві.

— Коли надворі спека, тут має бути дуже добре, — вирішила я.

— А взимку тут сильний мороз, — додала мама. І пояснила нам, що такі приміщення колись називали землянками і вони виконували роль природних холодильників. Скільки тут було скарбів! Окрім моркви та яблук для коней, тут зберігалась консервація на зиму. На полицях попід стінами стояли слоїки і пляшки. У закупорених банках красувалися квашені й консервовані огірки, у менших слоїчках — малинове й полуничне варення та джеми, а в пляшках — соки. На кожному слоїку з консервацією була наклеєна етикетка з точним описом: що в ньому і коли це виготовили. Ми захоплено розглядали всі багатства, і в нас текла слинка від самої думки про ту смакоту.

Фаустина ж не давала нам нудитись.

— А тепер ходімо на подвір'я. Покажу вам найголовніше місце у клубі, — сказала вона таємниче і повела нас до стодоли.

Перед великими дверима повернулася до нас і приклала палець до губ.

— Цссс... — вона обережно прочинила двері й навшпиньки зайшла всередину.

Ми ступали за нею, намагаючись не зчиняти галасу. Одразу біля входу стояв кошик із вербової лози. А всередині сиділи крихітні срібно-сірі кульки.

— Котенята, — гордо сказала Фаустина.

— Які гарнесенькі... — пропищала я захоплено, схиляючись над кошиком.

— Не поспішайте, — шепнула наша екскурсоводка. — Спершу ви маєте познайомитись з їхньою мамою.

З-за кошика ліниво виглянула біла кішка з сірими плямками.

— Це Срібна Лола, — представила її Фау. — Коли в неї ще не було котенят, вона любила прокрадатись у машини і мандрувати в місто.

— Та ну! Кіт не може сам відчинити двері автівки, — недовірливо пирхнула Флора.

— Срібна дуже спритна, вона може безшумно підійти до машини і пробратись усередину. До нас вона також залізала, — сказала Фаустина.

— І що? Вона у вас ночувала? — спитала Анєла, уся розчервонівшись. — Я так мрію, щоб у нас жив котик... — додала вона.

— Ні. Посеред дороги ми побачили, що у нас ще один пасажир їде зайцем. Тато вирішив повернутись, тож ми відвезли Лолу додому, — відповіла Фаустина.

Я схилилася над кицькою і почухала її за вушком.

— Ну ти й розумниця, — шепнула до неї.

Кішка вигнула спинку, і я певна на сто відсотків, що вона мене зрозуміла, бо тут же хитро замуркотіла. Потім відвернулась від нас і зручненько вмостилася за кошиком із котенятами.

— Вона взагалі не боїться людей, — сказала Анєла.

— Ви їй сподобались, — промовила Фаустина. — А тепер можете погладити її діток.

Писку було ой-ой-ой. Усі хотіли погладити сріблястих котенят, що позгортались у щільні клубочки. Фаустина пояснила нам, що малюки не такі сміливі, як дорослі коти. Хоча вони й звикають до людей, усе одно бояться.

Ми пречудово грались із котенятами і зовсім забули, навіщо сюди приїхали. Але моя мама нам нагадала. Вона зненацька зайшла у стодолу разом із якоюсь жінкою в обтислому темному костюмі й високих чоботях.

— А ось де ви! — гукнула мама. — Мадам Ізабелла здогадалася, що вас потягнуло до котенят. А урок чекає!

Жінка, що прийшла разом із мамою, гучно скомандувала:

— Усі за мною!

Ми неохоче попрощались із котенятами й подалися до повітки, що стояла біля стодоли.

— Скажіть, будь ласка, а ми вже зможемо кататися? — спитала Флора.

Жінка зморщила чоло й суворо відповіла:

— Наберись терплячості, юна панно. На першому занятті ви ознайомитесь із теорією верхової їзди і правилами нашого етикету*. Тільки панночка, — тут вона кивнула на Фаустину, — вже може почати їздити.

Фау підстрибцем помчала до Аляски, а ми, набурмосившись, повсідалися в повітці.

— Мене звати мадам Ізабелла, — представилась жінка. — Прошу звертатися до мене саме так. Я стежитиму не лише за тим, як у вас просувається навчання і як ви поводитесь із кіньми, а й за вашими добрими манерами. А в мене гострий зір і слух, — завершила наша вчителька.

— Перш ніж ви зможете сісти на коней, маємо як слід познайомитись. У нашій спільноті випадкових людей не буває, — чітко сказала вона.

Ми трохи перелякано перезирнулись. Я почала думати, чи ми випадково не випадкові люди... Флора закотила очі, ніби хотіла нам дорікнути: «А я ж казала, що це не найкраща ідея?».

На уроці в мадам Ізабелли ми довідались, що вона сама та її родина родом із Франції. Мадам

---

* Етикет, або ж *savoir-vivre* (фр., вимовляється «савуарвівр»), *bon ton* (фр., вимовляється «бон тон») чи добрі манери, — сукупність правил доброго виховання.

приїхала до Польщі сорок років тому і разом зі своїм чоловіком відкрила кінний двір. Тепер вона порядкує тут разом із дочкою.

— А як ви вивчили нашу мову? — спитала зацікавлено Флора.

— Я тут прожила стільки років, що без цього було ніяк не обійтися. Ви, вочевидь, не знаєте французької? — всміхнулась мадам.

Франек гордо розправив плечі й спитав:

— *Comment ça va?*[*]

Мадам гречно кивнула головою:

— *Tout va comme avant...*[**]

Проте Франек скривився й шепнув мені на вухо:

— Це нечемна відповідь.

Я здивувалася, бо це так гарно прозвучало. Щось таке як «тувакомава». Щойно пізніше Франек пояснив, що незнайомій людині не відповідають «усе по-старому». Я подумала, що, може, тут, у кінному дворі «Коні й лошата», усі одне одного знають і кажуть саме так.

Далі мадам пояснила нам, як відбуватимуться заняття з їзди верхи, і розповіла про правила

---

[*] *Comment ça va* (фр., вимовляється «комон са ва?») — «Як справи?», «Як ся маєш?».

[**] *Tout va comme avant* (фр., вимовляється «тува ком авон») — «Усе по-старому».

безпеки, обов'язкові у клубі. Ми довідались, що завжди треба носити шолом, бо він захищає голову, якщо впадеш чи якщо кінь понесе. І, звісно, вести коня треба з лівого боку від нього.

— То що, кінь з правого боку нічого не бачить? — здивувався Франек.

Мадам пояснила, що кінь не бачить тільки того, що прямо перед його передніми ногами, мордою і за хвостом, а вести коня з лівого боку від нього — це давній звичай.

— Колись верхи їздили тільки чоловіки, що були озброєні мечами, які припинали до пояса. Вони не могли би сісти на коня, якби йшли з правого боку від нього, — пояснила вона.

А пізніше ми прослухали лекцію про манери, яких слід дотримуватись у кінному дворі.

— Коней можуть годувати тільки інструктори, — сказала мадам. — Ви можете раз на день дати коневі щось смачненьке. Але пам'ятайте, що відразу після їзди кінь не має об'їдатись. Заняття починаються точно о вказаній годині. Ви маєте приїхати на пів години раніше і добре почистити коней. Їздити починаємо лише тоді, коли коні почищені як слід.

Ми ще прослухали кілька правил доброго тону для вершників, а після цього мадам звеліла, щоб ми поставили свої підписи під протоколом.

— Для тих, хто не дотримується правил, приємні заняття я скорочую, — ґречно пояснила вона нам. — І взагалі, попереджаю, що тримаю своїх учнів на короткому повідку. *Court!** — додала французькою.

Ми запитально зиркнули на Франека, але він знову скорчив гримасу й пробурмотів:

— Короткий. Це значить короткий.

Ми понуро перезирнулись, але виходу в нас не було, тож ми поставили свої підписи.

— А ми сьогодні побачимо наших коней? — спитала нетерпляче Флора.

Мадам відірвала очі від документів і з осудом похитала головою.

— Хто спішить, той людей смішить, — буркнула вона.

Ми були розчаровані, бо виявилося, що сьогодні ми лише познайомимося з інструкторкою, а наша пригода з кіньми почнеться щойно завтра.

— Такі у нас правила, — завершила категорично мадам Ізабелла.

Ще до обіду ми повертались до міста, ставши власниками посвідчень з гербом «Коней і лошат». Перш ніж їхати, перевірили, чи немає в нашому салоні пасажирки-киці. Але, вочевидь, Срібна Лола була зайнята, бо годувала котенят. А може, уже встигла прокрастися в іншу автівку?

---

* *Court* (фр., вимовляється «кур») — «короткий».

ЗУСТРІЧ ІЗ ДУХОМ І БРАВОЮ

Ми насилу дочекалися неділі. Я прокинулась ще перед сьомою. Приготувала свій спортивний костюм, шолом і рукавички для їзди верхи. Спакувала наплічник: поклала туди кілька яблук для коней і воду для себе. Коли вже все поскладала, вирішила, що збудую стайню з конструктора «Леґо». У мене було кілька фігурок коней. Тож я мала тільки спорудити чималу будівлю зі стійлами, а потім поставити туди коней і кількох чоловічків. Ще я зробила леваду, себто відгороджений вольєр для коней, виклала його зеленим і поставила бар'єри, через які мають стрибати коні. Я таке бачила по телевізору. Коли завершила, відчула, що вже добряче зголодніла.

Тож чекала на налисники з полуничним джемом і какао. Однак батьки досі солодко спали. У нас удома ми дотримувались принципу, що сон у недільний ранок не порушуємо. Отож я мала терпляче очікувати, поки у спальні батьків не задзвенить будильник. Він задзвенів лише о пів на восьму. Щоб вчасно з'явитись у клубі, нам треба було виїхати з дому близько восьмої. Тож я не дозволила батькам ще трохи подрімати. Помчала до спальні й узялась їх розбуркувати. Першим встав тато. Він вибрався з ліжка й відразу почалапав до кухні. Мама далі лежала в ліжку. Коли я спробувала її звідти витягнути, вона сказала:

— Мій план на сьогоднішній ранок такий: спати, спати і ще раз спати! — і вона ще глибше пірнула у постіль. З-під ковдри гукнула, що на сьогоднішній урок мене відвезе пані Лаура. Я не була від цього в захваті, бо Флорина мама зазвичай запізнюється.

— Я підписала правила клубу, — промовила я. — За кожні п'ять хвилин запізнення мадам скорочує наш урок.

Задзвенів телефон. Виявилося, що Флора з мамою вже чекають під нашим будинком. Тато поспіхом дав мені торбинку зі сніданком, тож я вже могла виходити.

— Ви мені обіцяли налисники на сніданок! — ще встигла вигукнути я.

Ображена й обвішана амуніцією для їзди верхи, я помчала вниз. Залізла до автівки, і ми рушили. Флора сьогодні, мабуть, встала з лівої ноги, бо аж пів дороги взагалі зі мною не розмовляла. Нарешті я спитала її, що сталося. Вона буркнула, що на сьогодні мала вивчити табличку множення до ста. І їй це ну зовсім не подобається.

— Ти можеш скористатися допомогою наукового клубу, — запропонувала я.

Флора тільки стенула плечима й відвернулась до вікна.

У недільний ранок вулиці були порожні, тож нам вдалося добратись до клубу верхової їзди вчасно.

Там кипіло життя. За ворітьми нас зустріла коза, мекаючи і тручись об машину.

Флора, побачивши її, зраділа.

— Привіт, Меко! Ме-ме-ме-е-еко!

Коза жваво привіталась:

— Ме-ме-ме-е-е!

Флора відразу ж витягнула з наплічника морквину й простягнула її козі. Мека поспішно схрумала подарунок і хутенько почимчикувала геть, бо приїхала інша машина.

— Кози — не дуже лояльні створіння, — сказав професор, підійшовши до нас. Він з'явився на паркінгу майже водночас із нами.

Мека здалеку гучно з ним погодилась:

— Ме-е-е! Ме-е-е!

Ми побігли до повітки, де на нас уже чекав наш інструктор. Точніше, інструкторка. Корнелія вже була готова до їзди верхи. На ній були зелені обтягуючі штани, що звуться бриджі, темно-синя камізелька з клаптиків, а на чоботях — краги, що мають захищати ноги вершників. На голові у неї був чорний шолом. Я знаю всі ці назви, бо вчора дивилася з татом в інтернеті, як зветься спорядження для верхової їзди. Корнелія перевірила наше взуття й шоломи, а потім запропонувала нам кілька вправ, щоб розім'ятися. Треба було зробити кілька обертів тулубом, плечима й тазом. Ми нетерпляче чекали, коли ж вона поведе нас до коней. Нарешті! Ми подалися за стодолу — туди, де були стійла. Там бруківка закінчувалась і починалася піщана дорога, що вела вздовж грядок з овочами прямо до стайні.

— Мадам вирощує на фермі моркву, буряки й кілька сортів картоплі, — пояснила Корнелія, зграбно вистрибуючи між рядками рослин.

Франек спробував стрибати так само, але в нього нічого не вийшло і він опинився посеред грядки.

— А що, коні їдять картоплю й буряки? — здивувалась Анєла.

— Коней ми годуємо сіном, різним зерном та спеціальними препаратами, підібраними для кожної породи, — пояснила наша інструкторка. — Буряки й картоплю мадам садить для себе. Можу вам сказати, що вони дуже смачні. Особливо печені буряки з медом.

— Фе! — скривилася Флора. — Солодкі буряки. Гидота.

Я теж не фанатка ані буряків, ані картоплі. Однак вирішила тримати це при собі. Відколи я довідалась, щó означає слово «толерантність», намагаюсь бути толерантною.

Ми ненадовго зупинилися перед стайнею. Зовні будинок нічим не відрізнявся від стодоли. Дерев'яний, з рядком вікон попід самим дахом. Корнелія відчинила одне крило стайні. Назустріч нам вибігло двоє котів, що почали тертись об нас і нявкати.

— Не звертайте на них уваги. Вони люблять, коли наші учні частують їх чимось смачненьким. Ви тільки подивіться, які вони товстуни. Цього чорного звати Коцький, а руду кицьку — Руда Лола, — пояснила Корнелія.

— Це ж треба! — зраділа Анєла. — А що, Руда Лола — це сестра Срібної?

— Мабуть, ні, але вони разом росли і мадам так їх назвала.

У стайні було чистенько. Під стінами стояв дерев'яний посуд і кілька діжок. А в глибині ми побачили декілька кінських стійл. Коні зацікавлено висовували голови і трусили ними, дивлячись на нас.

— Вони також люблять чимось поласувати, — пояснила Корнелія.

Ми кинулися до стійл, але наша інструкторка різко зупинила нас.

— Поки я не дозволю, ви не підходите до коней.

У цей час коні почали бити копитами у двері своїх стійл. Корнелія підводила нас по черзі до кожного стійла й розповідала про коня, що в ньому живе. Спершу познайомила нас із прегарним каштановим конем.

— Цю руду звати Ґренада. Вона зовсім молоденька. Її ім'я походить від назви славнозвісного іспанського міста. Обожнює овес. Якщо ви спершу нагодуєте інших коней, навіть не сумнівайтеся, що Ґренада нагадає вам про себе. Їй найбільше смакує випічка. А нещодавно сюди привезли матір Ґренади, щоб ми її тут доглядали.

Ми підійшли до другого стійла, в якому стояв ставний сивий кінь.

— Андалусія[*]. Це вже немолода кобила. Вибухова й нервова. На ній їздять тільки досвідчені вершники.

Поруч стояв вороний кінь — вродливий жеребець.

— Наш улюблений скакун Фіґаро, — Корнелія говорила про цього коня з особливою ніжністю. — Прекрасно йде ступою, чудово скаче галопом[**]. Дуже любить дітей. Ось погладьте його — і самі побачите.

Я перша підійшла й обережно погладила Фіґаро по шиї.

— Сміливіше! — підбадьорювала мене Корнелія. — Коня треба як слід поплескати, він таких ніжних рухів не відчує.

Тож ми всі відважно поплескували Фіґаро, а той радісно трусив головою. Ще ми познайомились із кобилою Авіньйон та жеребцем на ім’я Париж.

— Цими кіньми мадам опікується особисто, — пояснила Корнелія. — Вони мають французькі

---

[*] Андалусія — регіон у південній Іспанії, батьківщина танцю фламенко.

[**] Кінь може пересуватися з різною швидкістю: *ступа* — найповільніша хода; *клус*, або *рись*, — швидша хода, двотактова; *галоп*, або *чвал*, — дуже швидка хода, стрибкоподібна; *кар’єр* — найшвидша хода, яку може розвинути кінь на короткій дистанції, її використовують на кінних змаганнях.

імена. — А сама мадам родом із французького міста Авіньйон*.

— Тут майже у всіх коней імена пов'язані з географічними назвами, — сказала Анєла. — Окрім Фіґаро.

Тоді Корнелія розповіла нам, що мадам — завзята мандрівниця. Вона об'їздила майже весь світ і з кожної подорожі привозила імена для своїх коней.

— Фіґаро** — герой опери. А опера — це друге після коней кохання мадам, — пояснювала наша інструкторка. — Хоча це вам, мабуть, страшенно нудно.

— Та ні! — заперечила я. — Ми вже були в опері.

— Ми повдягали вишукані сукні й були у них схожі на безе, — сміючись, нагадала Фло.

— А ще одного разу ми поїхали до Італії, — додала я. — Там у Флориної мами є знайомі: пані Франческа та її чоловік, що працює в театрі.

Ми перекрикували одна одну, розповідаючи Корнелії про всі наші пригоди. Франек же нічого не казав, бо якраз читав опис якогось вельми

---

* Авіньйон — місто у південній Франції, на лівому березі річки Рона.

** Фіґаро — ім'я героя трилогії, яку написав французький письменник П'єр Бомарше. Фіґаро відомий завдяки операм «Севільський цирульник» Джоаккіно Россіні і «Весілля Фіґаро» Вольфґанґа Амадея Моцарта.

важливого експерименту, який вони з татом мали проводити відразу після уроку верхової їзди.

Аж тут ми почули, що ззаду хтось кілька разів кашлянув. Ми перелякались, бо до стійл підійшла — ну зовсім як дух! — мадам Ізабелла.

— Що я чую? Тут у нас є великі мандрівці? — спитала вона.

— А ось Франек був навіть у Америці, якщо хочете знати, — озвалася Флора.

Тоді мадам звернулася до Анєли, що стояла мовчки.

— А ти, юна панно, де бувала?

Анєла опустила очі й пробурмотіла:

— Я нещодавно була в Жаб'ячому Розі, у бабусі Емі. А в Італії я не бувала.

Мадам застромила руку до кишені своїх штанів. Дістала звідти скельце, що скидалося на окуляри. Точніше, на половинку окулярів. Піднесла його до ока й пильно подивилася на нас.

— Чуже вихваляєте, свого не знаєте, самі не відаєте, що маєте*, — проказала вона й пішла у глибину стайні.

Ми вражено застигли. Не могли вичавити зі себе ані словечка.

---

* «Чуже вихваляєте, свого не знаєте, самі не відаєте, що маєте...» — рядки з поезії Станіслава Яховича (1796–1857), польського поета і байкаря.

— Я вам кажу: вона справжній дух, — нарешті озвалася Флора.

— Е-е-ей! Духів не існує, — заперечив Франек, хоча я добре чула в його голосі переляк.

— Може, вона просто ходить тихенько, наче кіт! — я намагалась якось пояснити загадку несподіваної появи мадам.

Корнелія взялася нас заспокоювати.

— Мадам знає тут кожен закапелок. А крім того, вона живе в кінному дворі вже сорок років.

— А оте скельце? — мовила Анєла. — Я таке бачила у «Гаррі Поттері»! Їх носять тільки чарівники!

— Це скельце зветься монокль. Такі окуляри на одне око. Мадам, певно, привезла його з Франції. А тепер, може, ви хочете врешті познайомитись із кіньми?

Виявилось, що нашими конями, на яких будемо вчитися, стануть Фіґаро й Ґренада. Ми вже трішки охололи після несподіваної зустрічі з мадам Ізабеллою, тож узялись їх чистити.

— Фу! Вони всі в бруді! — мовила Анєла.

Корнелія пояснила нам, що зранку, після ночі, коні зазвичай дуже брудні.

— Та ясно. Вони ж лежать на соломі, — озвалася Флора зі знанням справи.

Наша інструкторка всміхнулась.

— Зараз я вас здивую: коні сплять стоячи.

— Стоячи? — ми були вражені. — А як вони можуть так спати?

— Такими вже їх створила природа, — Корнелія знову всміхнулась.

Ми повернулися до роботи. Спершу гумовим скреблом* вичісували волоски й засохлі грудочки болота з шерсті Ґренади й Фіґаро. Корнелія порадила нам чистити проти шерсті, тоді бруд легше вичищається. Потім ми розгладжували шерсть й витирали бруд м'якенькою щіточкою. Найскладніше було чистити копита. Нам довелося стояти спиною до голови коней. Щітка була незручна, і ми боялись, що коні можуть рознервуватися.

— Фе! Мені би зовсім не сподобалось, якби мені хтось чимось таким шкріб ноги, — промовила Фло, кривлячись.

— Але ти ж любиш, коли мама намащує тобі ступні кремом? — спитала Корнелія.

Виявилося, що чищення копит для коней таке ж приємне, як для нас догляд за шкірою стіп. Але та щітка — то був тільки початок. Далі нас чекала скребачка — це така тоненька щіточка з довгою ручкою, якою ми вичищали бруд і болото з підошов копит.

---

* Скребло — ґумова, металева або пластмасова щітка, якою вичищають домашніх тварин, зокрема коней.

— Копита для коня такі ж важливі, як для людей — зручне взуття. Вони мають бути справді міцні й витривалі, щоб кінь як слід рухався й міг носити вершника на собі, — пояснила Корнелія. — Ви коли-небудь носили незручні черевики? — спитала вона нас.

— Я колись вперлася, що носитиму замалі босоніжки, — сказала Анєла. — Але мені швидко довелось їх скинути, бо я зовсім не могла в них ходити.

Виявилось, що у коней так само. Якщо кінь погано підкований і в нього брудні копита, він далеко не заїде.

Нарешті настав час на приємніші заняття. Ми розчісували нашим коням гриви й хвости. Корнелія пообіцяла нам, що колись ми заплетемо їм кіски. Крута ідея! А тоді ми дивились, як наша інструкторка чистить вологими серветками коням морди, очі й носи — точніше, ніздрі.

— Так це ж серветки для немовлят! — вигукнула Анєла.

— Коні — також ніжні створіння, — мовила Корнелія. — А ви маєте запам'ятати, що коли чистите коней, не можна робити жодних різких рухів і підходити до коня з боку крупа.

— З боку чого? — здивовано перепитала Флора.

Виявилось, що круп — це задня частина тулуба коня. Теж круто!

Коли Фіґаро з Ґренадою стали лискучі й пахучі, Корнелія оголосила, що тепер усі готові до уроку. Ми пройшли через двері з протилежного боку стайні й опинилися на лузі. Побачили чималу леваду, огороджену бар'єрами. Кілька вершників уже тренувалося. Одних коней вели за лонжі, тобто за довгі поводи, інші ходили вільно. Також ми побачили Фаустину на Алясці.

Нам аж подих перехопило від захвату.

— Який же гарний кінь!

Аляска була дуже граційна кобила світло-сірої масті. А здалеку вона вся переливалася сріблом.

— Це снігова королева! — вражено шепнула Анєла.

Ми дивились на Фау, що гордо скакала риссю на Алясці. Кінська грива й волосся Фаустини розвівались, їхні постаті наче зрослись одна з одною.

Франек також спостерігав за тим, як мчить Аляска, і нарешті озвався:

— Цікаво, який закон фізики треба знати, щоб так добре їздити на коні?

Корнелії довелося кілька разів нас погукати, щоб ми відірвались від цього прегарного видовища.

— Ви ж, мабуть, не хочете тільки дивитися? — спитала вона. — А зараз підготуємо коней до їзди.

Корнелія почала сідлати коней, а хлопець, що займався левадою, їй допомагав. Вони голосно пояснювали нам, що саме роблять. Спершу приготували сідло зі стременами, тобто з підніжками для ніг вершника, і з попругою — це такий спеціальний ремінь, яким закріплюють сідло. Вони не застібали її одразу, бо це треба робити поступово, щоб коня нічого не муляло. Потім перевірили, щоб стремена були на одному рівні. Після цього наділи коням на голови ремінну упряж із багатьох різних пасків. Ця упряж зветься вуздечка. Вона складається з вудил, за допомогою яких ми передаємо коневі команди, підборідника, тобто ременя, що міститься під горлом, повіддя — ременів, з'єднаних з вудилом, та переніcного ременя, що накладається на ніс коня.

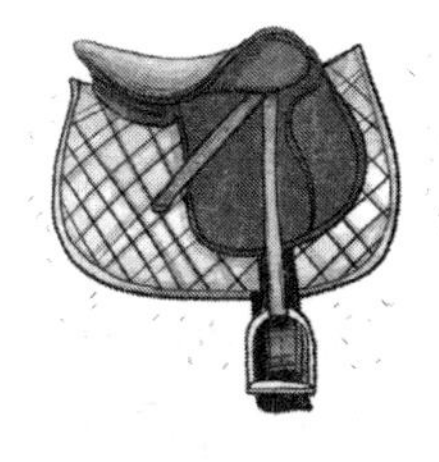

Нарешті коні були готові їхати. Хух! Скільки ж треба вивчити нових назв, щоб осідлати коня.

Ми почали їздити парами, а інструктори вели коней на лонжі. До Корнелії приєднався хлопець, що перед цим допомагав водити інших коней. Вони разом визначали, якими колами ми маємо їхати, і стежили, щоб ми були в безпеці. Я і Франек їздили на Фіґаро, а Флора з Анєлою — на Ґренаді. Хоча Фло голосно нарікала, що ми не навчимося нічого нового, бо ж у Жаб'ячому Розі ми вже їздили на Малазі, ми все одно розпочали із вправ на рівновагу. І на цьому урок закінчився.

— Теж мені ще навчання, — пирхнула Флора. Проте вона змінила думку, коли виявилося, що не пам'ятає навіть половини назв збруї та предметів, якими чистять коня.

— Наступне заняття починається з перевірки ваших знань, — попередила Корнелія.

— Не переймайся, Фло! Науковий гурток Таємного Клубу допоможе тобі підготуватись, — підбадьорив її Франек.

— Тут є якийсь Таємний Клуб? — зацікавилася Корнелія.

На щастя, повз нас проходив інший кінь і наша інструкторка відволіклась на нього. Тож нам не довелося відразу розкривати таємницю Таємного Клубу.

— Це мама Ґренади, Брава, — пояснила Корнелія, взявши віжки в дівчини, що вела Браву, й ніжно поплескала кобилу. — Вона вже в літах, — вела вона далі. — Уже не така сильна й не все може. Власники віддали Браву нам, щоб ми її доглядали.

Брава — так само, як і Ґренада, — була гнідої масті. Її шерсть переливалася на сонці прегарним мідним відтінком. Біля копит рівненько красувались, наче шкарпетки, темні пасма шерсті. Кобила виразно дивилась на нас. Мені здавалося, що вона сумує.

— За тиждень попросимо Браву, щоб вона вам низенько вклонилась. Вона знає кілька трюків, — Корнелія приязно поплескала коня.

Дівчина, що привела Браву, забрала в неї віжки й сказала:

— Не знаю, чи ви ще побачитесь. Я чула, що незабаром її заберуть.

— Тобто як? — здивувалась Корнелія.

— Власники вже більше не хочуть тут її тримати. Ну ходімо, золотце! — звернулась вона до Брави, прицмокнувши. — Підемо сінця поїмо.

Я відчула, що вже дуже полюбила цього коня, хоч бачила його зовсім недовго.

— Наш урок закінчено, — сказала Корнелія, що явно була занепокоєна. — Зустрічаємось за тиждень. Якщо у вас задки не болітимуть.

Ми голосно розсміялись, тільки Флора скривилася:

— Задки бувають у коней.

Ми пішли з нашою інструкторкою до стайні. Ґренада й Фіґаро ще залишились на леваді.

— Дивно закінчився наш перший урок, — промовила Фау, коли ми з Флориною мамою поверталися додому. — Про Браву розповідають сумні історії, — додала вона. — Кажуть, що вона хвора і що, мабуть, незабаром її заберуть. Але я також чула, що її власники більше не хочуть нею займатись. Бідна конячка.

Тоді у мене в голові загорівся червоний сигнал.

— Я вже знаю! Це операція для Таємного Клубу Супердівчат! — вигукнула я. — Ми потурбуємось про Браву! Знайдемо для неї новий дім! Може, вона хотіла би жити зі своєю дочкою Ґренадою!

— Я про це не подумала, — відповіла Фау. — Так, ми знайдемо новий дім для Брави. І щоб він був недалеко від нас!

Анелі також сподобалась ця ідея.

— Ми могли б організувати щось справді круте!

— А тепер цить! Ніхто не має пронюхати про наш план! — я стишила голос, щоб пані Лаура не почула нашої розмови.

Невдовзі після цього ми зупинилися на вулиці Батарейковій. І побігли кожна до себе додому: Фау помчала грати на арфі, а я — працювати над новим завданням Таємного Клубу Супердівчат. Над операцією під назвою «БРАВА»!

ЯК СТАТИ ВІДЬМОЮ І ДЕ ЗНАЙТИ ЗОЛОТОГО КОНЯ

У школі почалися тести, диктанти й читання книжок. Фаустина почувалась особливо нещасно, бо у неї в класі диктанти були щодня.

— Дрючок вважає, що день без контрольної прожитий даремно, — розповідала вона, коли ми зустрілися на перерві.

— Дрючок? — перепитала Флора.

— Ви що, нічого не знаєте? Уся школа про нього говорить! Це наш вчитель польської, — пояснила Фау.

— А в нас одна вчителька з усіх предметів, — сказала здивовано я.

— Ну, це так у малявок, — промовила Флора.

Я образилась і не хотіла з ними розмовляти. Однак Фаустина проявила такт і стала на мій захист.

— Ти теж не так давно була в третьому класі, — сказала вона до Флори, а потім пояснила нам, що з четвертого класу у нас кожен предмет викладатиме інший вчитель.

— Ну і цього року в нашої вчительки польської буде дитина, тож вона відпочиває вдома. А Дрючок її заміняє.

— У вас польську викладає дядько? — здивувалася Флора.

Я теж була здивована, бо в нашій школі чоловіки викладали тільки французьку й фізкультуру.

— А це класно, правда? Дрючок сам тільки недавно закінчив унівеp. Він худющий і високий, наче баскетболіст. А ще він ходить у маленьких окулярах — таких, як у Гаррі Поттера. Коротше, ми назвали його Дрючок.

— Круто! — буркнула я і відразу ж подумала: це несправедливо, що тільки у Фаустини уроки з Дрючком.

— ЛОЛ, — додала Фаустина. — Дрючок проводить додаткові заняття з філософської казки. Можете на них ходити.

Очі в мене засяяли, бо ідея була супер. Але Флора відразу ж її розкритикувала:

— Такого не буває! Яка ще філософська казка? І взагалі, що це таке ота філософія*?

Фаустина відповіла:

— Дрючок точно це знає! А ще він веде нас до театру на «Відьму»!

Флора витріщила очі:

— Я нічого не чула про відьом у театрі.

— Це вистава «Як я стала відьмою»**.

— Я теж хотіла би піти! — загорілась я.

Фаустина тільки розвела руками й сказала, що це подія, організована лише для її класу.

Шкільний рік ставав усе насиченішим, і з кожним тижнем у нас залишалось усе менше вільного часу на зустрічі Таємного Клубу. Ми, дівчата, і далі таємно збирались на перервах. Із Франеком, що вчився в іншій школі, ситуація була гірша. З ним ми могли бачитись тільки у п'ятницю. А наприкінці тижня наші батьки вже були втомлені й не хотіли вибиратися з дому. Лише пані Лаура, що займалася домашнім господарством, а тепер ще й вирощувала городину на грядках, прислухалась до наших прохань. Ми мусили провести збори Таємного Клубу

---

* Філософія — дисципліна, що вивчає принципи світобудови й прагне її пізнати.

** «Як я стала відьмою» — повість для дітей і дорослих польської письменниці Дороти Масловської, за якою поставили виставу.

перед наступним заняттям у кінному клубі, а крім того, мені дуже-предуже хотілось піти на виставу «Як я стала відьмою». Тож ми з Флорою вирішили змовитися.

— Я згодна подивитись «Відьму» й попрошу маму, щоб зводила нас до театру, — сказала Фло. — Але ти маєш пообіцяти, що поясниш, про що ота вистава. І допоможеш мені зробити домашку з польської. Мені треба написати запрошення.

— Можеш написати запрошення до театру, — радо запропонувала я.

— І хто б це хотів, щоб його запросили до театру? — обурилася Фло.

Тож я вирішила вже нічого не згадувати про театр, а терпляче чекати п'ятниці.

Пані Лаура заглянула до нас увечері посеред тижня, бо мама пообіцяла позичити їй соковитискачку. І відразу зчинила галас:

— Я й не знала, що наші дівчата — такі шанувальниці театру. Ти тільки уяви собі, Юстусю, Флора мені проходу не дає. У п'ятницю маю всіх їх повести на якусь відьму!

— Не всіх, — заперечила я. — Фаустина піде з Дрючком.

Пані Лаура ще більше здивувалась.

— Я вас щось зовсім не впізнаю. Відьма? Дрючок?

Тоді я пояснила, що Дрючок — це новий вчитель польської, що веде клас Фаустини на виставу «Як я стала відьмою».

— А що, під час вистави справді даватимуть інструкцію, як стати відьмою? — спитала мама. — Я залюбки нею скористаюсь.

— Мої любі! Я намагалася роздобути квитки навіть з-під землі, та вже все зарезервовано, — промовила пані Лаура. — Але якщо знайдемо перекупників, тоді ми на коні.

І відразу пояснила, що це не значить, що ми будемо кататись на конях зі стайні. Це означає, що нам пощастить потрапити на виставу, якщо придбаємо квитки у перекупників. Ті викуповують квитки на найцікавіші вистави, а потім перепродують їх охочим за значно вищою ціною.

— Справді? — здивувалася мама. — Усі так хочуть довідатись, як стати відьмою?

Пані Лаура, що була прекрасно поінформована, пояснила:

— Ти хіба не чула? Це дуже модна вистава. Тому я до останнього не знатиму, чи ми роздобудемо квитки.

Я подумала, що було би навіть краще, якби ми не пішли до театру. Адже тоді у нас було би більше часу на засідання Таємного Клубу Супердівчат. Операція «Брава» вимагала нашої уваги. Однак я про всяк випадок набурмосилась.

— А ось Фаустина йде на виставу. Дрючок роздобув квитки.

— Як-як? Дрючок? — пожвавилась мама. — Ми також давали нашим учителям всякі кумедні прізвиська. Правда, Лауро?

І вони з мамою Фло відразу почали розповідати одна одній про свої шкільні часи.

— Ми називали нашу вчительку біології Медуза, — згадувала мама. — А вчителя фізкультури — Дорожнім Бігуном.

— Дорожнім Бігуном? А чого? — здивувалась я.

— Бо він завжди бігав: на уроках, після уроків і на перервах. Дехто бачив, що на зборах і всяких урочистих подіях він тупцював на місці. Так що ми вирішили, що він нагадує нам Дорожнього Бігуна з мультика.

— Слушно! — промовила пані Лаура. — Я теж маю бігти, дівчата. Пообіцяла своїм на вечерю корисні коктейлі з чорною капустою, грушею та бананом.

Я облизнулась від самої думки про грушки. Може, навіть чорну капусту я би пережила?

Пані Лаура це помітила й пообіцяла, що наступного разу не забуде доставити нам свіжої капусти.

І знову почався нескінченний тиждень. Збори Таємного Клубу мали відбутись аж у п'ятницю, тож ми з нетерпінням чекали, коли ж тиждень закінчиться. Анєла принесла до школи кілька буклетів, присвячених коням. Ми читали їх на уроках і перервах. Вирішили якнайбільше довідатись про поведінку й звички коней. Нам хотілося здивувати нашу інструкторку. А ще ми сподівались, що Фаустина щось вивідає про Браву. Ми дуже хотіли їй допомогти. Однак насамперед мали довідатись, які плани щодо кобили у її власників.

Проте Фаустина безслідно зникла. Зрештою таємниця розкрилась у четвер, коли мама випадково зустріла у крамниці Фаустинину маму. Нашу приятельку звільнили з уроків аж до п'ятниці, бо вона брала участь у конкурсі гри на арфі й поїхала зі своїм класом в інше місто. Я переймалася, чи вона повернеться вчасно і чи встигне на засідання Клубу! Без неї операція «Брава» не зрушить з місця.

У п'ятницю в школі я була як на голках. Анєла мене розраджувала, Флора була певна, що Фаустина не пропустить засідання. Але все це нітрохи не допомагало.

— Я не знаю більше таких відповідальних людей, як Фаустина, — сказала мама, що також намагалася підняти мені настрій.

По обіді, як тільки закінчились уроки, ми з мамою одразу поїхали додому. Я так поспішала, що навіть відмовилась від улюбленого морозива з вишнями й шоколадом у цукерні біля школи. Щойно ми зайшли у помешкання, я відразу помчала до своєї кімнати, щоб підготувати все для засідання Таємного Клубу. Дістала Таємний Щоденник, ручки та альбом про коней, який знайшла у татовій кімнаті. Потім зачаїлась у своєму таємному сховку і взялася переглядати альбом. У ньому було багато прегарних коней, чимало з них —рідкісні породи, що живуть тільки в Америці чи в Австралії. Водночас я нетерпляче чекала, коли ж прийде хтось із Таємного Клубу. Першою з'явилась Флора й сказала, що ми сьогодні не йдемо до театру, але в нас уже є зарезервовані квитки на виставу за два тижні.

АЛЬБОМ. КОНІ
ЛОШАТА
КОНІ
КОНІ
КОНІ
СКРБЛ
КОНІ

— Чудово! — зраділа я. — Тоді маємо повно часу на засідання, присвячене операції «Брава».

— Авжеж! — згодилася Флора. — Але я також хотіла б пограти у скрабл.

Проте мені більше хотілось розглядати альбом про коней, там було ще стільки фоток, яких я не подивилась.

— Цілий час тільки книжки й книжки! — розсердилася Флора. — У нас взагалі немає часу на ігри!

— Ти в Таємному Клубі Супердівчат, — нагадала їй я. — У нас є обов'язки.

Флора похнюпилась і неохоче приєдналася до мене. Ми якраз роздивлялись австралійських коней, дуже рідкісні породи, коли Флора врешті озвалась:

— Глянь! Ось цей ну точнісінько як Брава.

І справді. Гнідий кінь на ілюстрації здавався аж мідним чи золотим. Біля копит у нього красувались темні шкарпетки. Кінь стояв, гордо випроставшись, і дивився у далеч — туди, де на обрії виднілись поля.

— Золотий кінь! — промовила Флора.

— Думаю, що кожен кінь мріє про те, щоб бути вільним. Мчати полями, відчувати, як вітер розвіває йому гриву, — замріяно сказала я.

— Але ж коням у клубі «Коні й лошата» ніхто нічого поганого не робить. Чого б це їм хотілось бути вільними? — здивувалася Флора.

Я замислилась. Згадала мультик про тварин, що жили у звіринці. Одного дня вони стали вільними й помандрували до країв свого дитинства. Розповіла про це Флорі.

— А я знаю цю історію! — пожвавилась вона. — Це «Мадагаскар». Але ти, мабуть, пам'ятаєш, що ті тварини повернулись до звіринця в Нью-Йорку?

Флора мала рацію, але я все одно думала, що коням більше подобається бігати лугами, ніж ходити туди-сюди на леваді.

— Це правда. Тварини з мультика вирішили повернутись. Але коні народились у неволі, тому не знають, що для них краще, — сказала я.

Наша розмова урвалась, бо прийшли Франек з Анєлою.

— Ми запізнилися, бо тато мав завершити важливий експеримент, — виправдовувався Франек.

— Нічого страшного. Ми якраз дивимось альбом про коней. Ось гляньте, цей дуже схожий на Браву, — я показала друзям світлину.

Ми ще милувались іншими скакунами, міркуючи про те, що було би для них краще: свобода на лугах чи життя в конюшні. Зі мною згодились не всі, лише Франек був переконаний, що всі тварини мають бути вільні.

— Ми б ніколи не дізнались, як виглядають дикі тварини, якби не бачили їх у клітках у звіринці, — заперечила Флора.

Тоді Франек розповів нам про зоологічні парки за океаном.

— Коли я був із татом в Америці, то ми пішли до звіринця, в якому взагалі не було кліток. Тварини жили за загорожами і мали дуже багато місця.

— Мабуть, у такий звіринець ніхто не хотів ходити, — недовірливо промовила Фло. — Усі боялися.

— Ха-ха, навпаки — була велика черга. А тварини поводились як у себе вдома, — відповів Франек.

Я подумала, які ж бідолашні коні в конюшні. У них такі маленькі стійла.

Ми би ще довше про це розмовляли, якби не з'явилась Фаустина.

— Нарешті! — вигукнула я і кинулась її обіймати.

Та мала задоволений вигляд.

— Я якраз повернулася з концерту.

— Тобі дали грамоту? — спитала Анєла.

Фаустина всміхнулась.

— Я зайняла третє місце. Рівень був дуже високий.

Ми на радощах навіть закричали «Уррра!», та ще й так голосно, що в моїй кімнаті відразу з'явилася мама. Я пояснила їй, що ми кричимо на честь Фау, бо її нагородили на конкурсі. Мама також обійняла Фаустину і запропонувала нам відзначити цю подію кексиками.

— Круто! — зраділа я.

За мить ми вже наминали розкішні тістечка з малиною і збитими вершками. А Франек придумав, щоб ми всі поробили собі вуса з вершків. Вуса були пресолодкі, і ми їх залюбки поз'їдали.

Нарешті я звеліла розпочинати засідання, присвячене Браві. Ми зібралися біля мого письмового столу, всі з рештками вершкових вусів.

— Розкажи нам про Браву! — попросила я Фаустину.

— Це сумна історія, — почала Фаустина. — Ви впевнені, що хочете її почути?

Ми ствердно кивнули. Франек злизав рештки своїх солодких вусів, і ми теж. Прикипіли поглядами до Фаустини, а вона розповідала нам історію Брави.

— Брава росла в конюшні мадам Ізабелли. Вона була однією з її улюблениць. Але справи в кінному дворі не завжди йшли так добре, як зараз. Мадам часто бракувало грошей. Тому врешті їй довелося продати Браву. Покупець був дуже милий і страшенно захоплювався Бравою. Якось він поїхав у справах за кордон на тривалий час, а кобилою доручив опікуватись братові. Покупець також попросив про допомогу мадам, якщо його брат не зможе як слід подбати про Браву.

— І що було далі? — спитала Флора, щоки якої аж горіли.

— Кілька тижнів тому Брава з'явилась у конюшні занедбана й хвора.

— А що з нею? — спитала я.

— У неї захворіли копита. Крім цього, вона дуже схудла й була страшенно сумна. Видно було, що останнім часом вона зрідка виходила зі стайні. Мабуть, вона почувалась дуже самотньо.

— Самотньо? — здивувалася Флора. — Хіба коні не люблять бути самі?

— Коні дуже сумують, коли їм доводиться бути на самоті, — пояснила Фау. — Їм найкраще бути в гурті.

Виходить, це тому Брава була така пригнічена. Лише тут вона повернулась до нормального стану. А потім з'явився її опікун і сказав, що має її продати, тож шансів, що вона залишиться з нами, майже немає. Вона потрапить у чужі руки. І невідомо, в яких умовах житиме. Усі в конюшні цим переймаються. Для коней дуже небажані такі часті зміни. Нерідко в них буває від цього депресія.

— Депресія? — здивувалась я. — Я думала, що депресія буває тільки в людей.

— Моя тренерка каже, що коні стають байдужі й мляві. Впадають у стан апатії, — додала Фаустина.

Ця історія нас дуже занепокоїла.

— Ми маємо якось цьому зарадити! — вигукнула я.

— Ми не залишимо Браву саму, — підхопила Фау.

Франек з Анєлою також із цим погодилися.

Фаустина розповідала далі:

— Тепер Брава вдома. Вона почуває себе у безпеці, і всі про неї дбають. Крім того, на неї добре діє те, що поряд є інші коні.

— Може, мадам Ізабелла щось придумала? — розсудливо промовила Анєла. — Вона може просто зателефонувати до власника і все йому розповісти.

— Інструктори кажуть, що якби в неї не було термінових видатків, вона б залюбки сама купила Браву, — відповіла Фау. — Але недавно зливи зруйнували другу леваду, у стайні протікає дах, і незабаром народяться лошата.

— Лошата? Я би хотіла собі лошатко! — вигукнула Флора. — Попрошу тата!

Я розгромила її поглядом, так що вона почала виправдовуватись:

— А що тут такого? Це моя мрія.

— Ти живеш у місті, тому можеш тримати коня тільки в пансіоні, — промовила Фаустина.

Ми всі здивувались: чого це кінь має жити у пансіоні? Фау пояснила нам, що йдеться про готель для коней. Якщо в когось немає власної стайні, а йому хочеться мати коня, він може винайняти для нього стійло в конюшні. І це називається пансіон.

Раптом мені щось спало на думку:

— А може, Брава хоче бути вільна?

Тепер Флора з осудом глянула на мене:

— Ми не можемо викрасти коня!

— А в мене з'явилась інша ідея! — озвалась Анєла. — Минулого року моя вчителька англійської разом зі своїм класом зібрала у школі купу грошей для бездомних песиків.

Ми захоплено на неї глянули.

— Круто! — вигукнула я. — Ми також можемо так зробити. Зорганізуємо збір коштів для Брави! Коли власники отримають гроші, вони не продадуть її комусь чужому.

Франек, здається, не дуже вірив в успіх такої ідеї.

— Навіть якщо нам вдасться зібрати аж таку суму грошей, то де ми будемо тримати Браву?

— Таж отам у конюшні! — відповіла Флора.

— На пансіон для коня також потрібні гроші, — пояснила Фау. — На корм, на виїздки, на ветеринара.

— Ми можемо віддавати наші кишенькові, — сказала я. Аж раптом мене осяяла інша думка: — Нехай Брава поїде до Жаб'ячого Рогу! Житиме у Костека в стайні, разом із Малагою!

Уся наша компанія захоплено заверещала:

— Круто!

— Супер!

— Що ж, план у нас є, — промовила я. — Тепер нам залишається тільки зібрати гроші, а це не так уже й просто. Ми навіть не знаємо, скільки нам треба.

Запала тиша. Франек озвався першим:

— Це слабке місце нашого проєкту. Треба розподілити завдання. Фаустина могла би щось довідатись про плани щодо продажу Брави.

— Флора, Анєла і я організуємо збір коштів у школі, — продовжила я. — А ти шукай інформацію, як перевезти Браву до Жаб'ячого Рогу.

Ми вдоволено перезирнулися. Схоже, що всі пазли операції «Брава» починають складатися в одне ціле.

Чарівниця на горищі

Наступного дня, тобто в суботу, ми поїхали у клуб верхової їзди. Добрались туди значно раніше, ніж треба. Урок починався о дев'ятій, а ми ганяли там уже по восьмій. Коза Мека зустріла нас, як і минулого разу, голосно вимагаючи чогось смачненького. А смачного ми привезли багато. Тож зручно всівшись на пеньках, яких стояло чимало біля воріт на в'їзді, ми дістали наші сніданки, яких не встигли з'їсти вдома. Мека від нас не відходила.

— А що насправді їдять кози? — спитала Флора.

— Кози їдять усе. Не забувай, де кладеш свої речі, бо можеш залишитися не тільки без другого сніданку, а й без взуття і сумки, — попередив її Франек.

— Іди сюди, Меко, поділюся з тобою сніданком, — покликала козу Фло.

Козі не треба було двічі повторювати. Вона втупилась у нас своїми допитливими очиськами, труснула головою і взялася за яблуко, яким її почастувала Фло. В одну мить зі смаком його ум'яла. Мабуть, яблуко не втамувало її голоду, бо вона й далі на нас дивилася.

— Тобі мало? — спитала Фло. — Ану йди вже звідси!

Однак Мека нікуди йти не збиралась.

— Я забув вам сказати, що кози їдять безперервно, — виправдовував поведінку кози Франек.

— Тобто як «безперервно»? — здивувалась я. — Вони ж мають чимось ще займатися. Наприклад, порозмовляти з приятелькою.

— Виходить, що в кіз не буває приятельок. Вони їдять безперестанку. Постійно щось біля когось жують, — сказав Франек.

Флора примружила очі й буркнула:

— То ти, виходить, ще й козознавець?

Франека це не зачепило, і він вів далі:

— Можемо домовитись так: або ви привозите вагон яблук, або... — він роззирнувся довкола й пирхнув: — ...або розпрощаєтесь зі своїми улюбленими речами.

А потім схопив мої рукавички для їзди верхи. Гарненькі рукавички з м'якенької шкіри, які мама вполювала в інтернет-магазині! І почав ними розмахувати перед носом у кози Меки. А вона — можу дати чесне-пречесне слово — аж смачно облизнулась, їх побачивши. Невідомо, що би було далі, якби я не вирвала мого скарбу у Франека з рук. І навіть почала шкодувати, що ми прийняли його до Клубу Супердівчат.

Коза досі крутилася біля нас, сподіваючись, що їй перепаде ще щось смачненьке. Однак її відразу зацікавили люди, які щойно приїхали. Уже невдовзі мали початися перші заняття, тож прибували нові учні. А Мека не полишала сподівань, що всі привезли для неї ласощі.

Ми побігли до котячого схову. У стодолі було напівтемно. Срібні кульки ліниво лежали в кошику. Коли ми гладили їхню м'якеньку шерстку, котенята більше не зіщулювались перелякано. Напевно, вони вже нас упізнавали і почали звикати. Аж ось прийшла їхня мама, Срібна Лола. Граційно зіскочила з утрамбованої соломи просто під кошик, де лежали малята. Лола обійшла кошик і почала тертися нам об ноги, лагідно муркаючи.

— Які ж гарнюні! — прощебетала Анєла, взявши на руки одне котеня.

Ми б залюбки посиділи ще трохи з котенятами, але почули, що нас уже гукає наша інструкторка Корнелія.

— Гей-гей! Де група моїх сміливців?

Почувши, що нас кличуть, ми вибігли зі стодоли і привіталися з Корнелією. А вона скомандувала:

— Шоломи на голову! Рукавички на руки!

— Мої рукавички чудом врятовано від зубів Меки! — поскаржилась я і докірливо зиркнула на Франека. А той вдавав, що нічого не розуміє.

— Мека може їсти все. Якось я дала їй шматок банана, а вона замість вдячності з'їла кілька сторінок моєї книжки, яку я читала на перервах між заняттями, — сказала Корнелія.

Перед катанням ми трохи розім'ялися. Десять разів присіли, кілька разів нахилились, покрутили тазом, а завершили вправи випадами вперед і вбік.

— Я, мабуть, собі руку зламала, — нарікала Флора, тяжко дихаючи.

Тоді Корнелія дала нам знак, що можемо завершувати.

— Ну, тоді сьогодні ніякого катання не буде, — сказала вона.

Флора зморщила чоло й пробурмотіла:

— Та ні, нічого страшного. Ось дивись, я вже можу нею ворушити!

І жваво помахала рукою, щоб Корнелія не сумнівалася.

— Бачу, у вас сьогодні стільки сил, що ви зможете самі підготувати коней до катання, — промовила Корнелія. — Збирайте свої речі й гайда до стійл.

Коли ми зайшли до стайні, там ще горіли лампи. Їхнє світло гарно лилося на темні старі дошки на стелі над стійлами і на коней, що там стояли. Крізь вікна проникали промені вранішнього сонця, а кінська шерсть і гриви переливалися сріблом і золотом. Інструкторка зупинилась біля стійл, в яких поруч стояли Фіґаро й Ґренада. Коні лагідно поштовхували одне одного мордами.

— Які ж вони прегарні! Круто!

— Вони друзі, — пояснила Корнелія. — Коні дуже чуттєві. Якщо їм подобається якийсь інший кінь, то вони виявляють симпатію на кожному кроці.

— А ми могли би відвідати Браву? — спитала я. — Ми вже давно її не бачили.

Корнелія з розумінням усміхнулась.

— Та звісно. Вона стоїть у кінці стайні.

Ми підбігли до стійла Брави, що вистромила голову з-за дерев'яної загорожі й неспокійно поглядала на нас.

— Яка ж вона неймовірна! — захоплювалась Анєла. — Я би хотіла, щоб у нас були уроки з Бравою.

— А я мрію про те, щоб у нас з Аляскою і Бравою було виїзне заняття, — сказала Фаустина.

— А це як? — зацікавлено спитала Флора.

— Ну, це вже вищий пілотаж для вершника, — промовила Фау. — Спитайте Корнелію — може, у вас також колись будуть такі заняття.

Флора скоса зиркнула на Фау й насупилася:

— Ну й не треба нам нічого казати. Самі дізнаємось.

Не знаю, як би завершилась ця суперечка, якби раптом не сталося щось несподіване. Під нашими ногами щось зненацька завертілось і запищало. Ми не могли збагнути, що сталося. Явно у стійлі з'явився новий мешканець!

— Повірити не можу! — вигукнула Флора. — Гляньте! Це Лола! А вона що тут робить?

Ми приголомшено дивилися на кішку, що вертілась, ніби так і має бути, довкола Брави. Здивована кобила також зиркала на Лолу. Намагалась торкнутися до кішки носом, але Лола спритно ухилялась, відстрибуючи то ліворуч, то праворуч.

Пустощі великого коня й маленької кішки були дуже кумедні.

— Це зовсім не смішно, — пискнула Анєла. — А що буде з котенятками, якщо Брава випадково зашкодить їхній мамі?

Ой, я про це й не подумала! Анєла мала рацію.

Ми вирішили покликати до Бравиного стійла Корнелію, але вона — мабуть, почувши наші зойки — уже сама йшла до нас.

— Брава може розчавити Лолу! — стривожено гукала Анєла.

— Агов! Не поспішайте з висновками, — засміялась Корнелія. — Це може бути початок гарної дружби.

— Тобто як? Кінь може дружити з котом? Я ще такого не чув, — вражено сказав Франек.

— Коні дуже чутливі, — пояснила Корнелія, спостерігаючи за тим, як бавляться кобила з кішкою. — Якщо вони когось полюблять, то будуть про нього пам'ятати й турбуватися. Може, Браві сподобалась Лола, а Лолі — Брава? Подивимось. У нашій стайні вже були такі випадки, коли коні приятелювали з псами. Так що нічого не заважає коневі полюбити кота!

А тварини й далі пустували. Брава обережно намагалася погладити Лолу мордою, а та спритно ухилялась. Раптом ми почули позад себе вже знайоме покашлювання й голос:

— Танцювала риба з раком, а петрушка з пастернаком...

Я вже знала, хто це! Вона знову з'явилась, наче ДУХ! Мадам Ізабелла. Ми обернулись, але вона вже була далеко від стійла, здалеку помахавши нам рукою.

— І що? Ви й далі вважаєте, що так і має бути? Кажу вам, що вона — дух! Або чарівниця!

— Зараз чарівниці надто вже розрекламовані, — сказав Франек. — Мій тато вважає, що ніякої магії немає. Є тільки сили фізики.

— Тобто кожен фізик може стати чаклуном, — промовила Фаустина.

Франек підняв із землі соломинку, поклав її в кишеню, а потім вийняв звідти монету.

— Ну ось! — гукнув він. — Я чарівник!

Ми зареготали так голосно, що луна розійшлась усією стайнею. Лола відразу дременула, а Брава неспокійно зиркнула на нас.

— Ви прогнали Бравину приятельку, — сказала Корнелія.

— Це не ми! — заперечила Флора. — Це мадам Ізабелла з'явилась, наче дух, і ми всі аж стрепенулися!

Корнелія не встигла нічого сказати, бо озвалася Фаустина:

— А я знаю, кого спитати, чи є в конюшні чарівники! — з тріумфом сказала вона.

Ми всі повернулись до неї, а вона спокійнісінько пояснила:

— Я спитаю в Антончихи. Це домашня робітниця мадам Ізабелли. Вона казала, що живе тут від самого початку, і якщо мені буде щось потрібно, я можу покладатись на неї.

— Якщо вам це допоможе, можете питати, кого хочете. А я вам кажу: ніяких чарів тут немає. Тут є коні й важка робота, — відповіла Корнелія.

Ми б і далі замислено стояли біля стійла Брави, якби не втрутилась інструкторка:

— А ви замість дивитись, як тварини розважаються, уже давно могли би їздити на конях. По сідла, ледарі!

Ми помчали в сарайчик, де зберігалися сідла, попруги та все, що потрібно для верхової їзди. Це одне з найважливіших приміщень у кінному дворі. І там побачили щось незвичайне.

— Двері! — заверещав Франек і побіг у глибину сарайчика.

— А вони тут звідки взялися? — допитувалась Флора.

Проте ми не марнували часу в пошуках відповіді на цю загадку. Франек, що перший підскочив до дверей, відразу спробував їх відчинити. І вони відчинилися! Ми помчали за ним — і раптом усі вп'ятьох опинились у маленькому й тісному приміщенні.

— У мене є ліхтарик! — прошепотів Франек. — Нарешті знадобився!

У його кишені щось таємниче зашелестіло, і по стінах вже блукав пучок світла. Ось він зупинився на чомусь під стіною.

— Сходи! — радісно вигукнув Франек.

Так, це були найсправжнісінькі дерев'яні старі сходи. Франек освітлював сходинку за сходинкою, аж поки не добрався до невеличкого отвору на стелі над ними.

— Вхід на горище! — зраділа Флора. — Супер!

— Підіймаємось? Хто йде за мною?! — гукнув Франек.

— Мабуть, нам не варто туди лізти, — засумнівалась Анєла.

— Сходи круті, а до того ще й темно. А на горищі купа павутиння і точно є привиди!

— Агов! Ви ще не забули про наше гасло? — спитала Флора. — У Таємному Клубі немає боягузів!

І вона весело продекламувала римоване гасло нашого Клубу:

Не боїмось ми щипавок і тарганів,
Не пищимо від змій і павуків,
І ящірками не злякати нас,
Бо ми Таємний Суперклуб. Це клас!

На Анєлу це ніяк не подіяло. Хоч-не-хоч, мені довелося стати на бік Франека і Флори. Не те щоб я дуже боялась, але мені також було трішки не по собі. Однак я була керівничкою Таємного Клубу й мала подавати приклад нашій компанії. На вузеньких дерев'яних східцях лежало повно соломи й сіна. Ноги у мене ковзали, тож я насилу ними дряпалась.

А от Франек уже встиг видертися нагору й гукав до нас з висоти:

— Гей! Ге-ге-ге-е-ей! Оце те, що треба для Таємного Клубу! Тут точно є якась таєм...

На півслові затнувся, бо втратив рівновагу й заточився назад.

— Обережно! — гукнула Анєла. — Можеш упасти!

Я хутенько зіскочила зі сходів. Подумала, що якби Франек упав, без моєї допомоги йому явно було б не обійтися. А може, просто я дуже боялась?

На щастя, Франек встиг учепитися за вищу сходинку і завис збоку.

— Нічого я не впаду! — насилу пробурмотів він. — Суперхлопці ніде не пропадуть!

Ми невпевнено дивилися знизу на його акробатичні вправи. Після кількох спроб знайти рівновагу йому нарешті вдалося ступити на нижчу сходинку, а звідти спуститись до нас.

— Мабуть, я почну вірити в духів, — сказав він. — Можу дати слово, що мене щось штовхнуло.

— Справді? — здивувалась я. — Ми нікого не бачили.

— Я відчув, наче повіяв вітер, а потім втратив рівновагу, — розповідав Франек.

— Ну, це ти так кажеш, бо, мабуть, не хочеш визнавати, що побоявся заглянути на горище, — Флора не йняла віри його словам.

Франек аж закипів:

— Ви маєте мені довіряти! Врешті-решт я належу до Таємного Клубу!

Фло стенула плечима, а Фаустина з Анєлою подивились на мене. А мені нічого розумного не спадало на думку. Я й далі трохи боялась. На щастя, зненацька в сарайчику з'явилась Корнелія й врятувала мене з цієї скрутної ситуації.

— А ви осьдечки! — гукнула вона. — Вас кудись пошлеш, то ви відразу зникаєте, наче під землю провалились. Ну та збирайтесь нарешті, коням вже нудно!

Вона взяла частину збруї й побігла далі.

— Ху-у-ух! Добре, що вона не побачила, що двері до комірчини відчинені, — Франек полегшено зітхнув. — А то нам би перепало.

Ми взяли все, що треба, і повернулися до стайні. Коні справді вже втрачали терпець. Руда Ґренада трусила світлою гривою й настирливо штовхала загородку стійла. Фіґаро, що стояв поруч, бив копитами об стіну.

— Ми вас чекаємо вже довгенько. А коні не люблять бездіяльності, — сказала Корнелія.

Ми спритно взялись готувати коней до їзди. Жваво вичистили їх від копит до голови. З допомогою нашої інструкторки надягнули на них упряж та сідла.

— У мене для вас несподіванка, — сказала Корнелія, коли ми вже були майже готові. — Сьогодні в нас виїзне заняття!

Я зиркнула на Флору. Ми змовницьки всміхнулись одна одній. Фаустина, що якраз до нас підійшла, бо також закінчила готувати Аляску, на радощах аж заплескала в долоні.

— Супер! Ви пречудово розважитесь!

Корнелія ознайомила нас із планом сьогоднішнього заняття.

— Спершу трохи розімнемося на леваді, — сказала вона. — Після цього ненадовго поїдемо за межі двору. Тільки без вибриків! Я вам це дозволяю, бо бачу, що ви розсудливі і вже багато чого вмієте.

— Але у нас немає коней на всіх, — засмутилась Анєла.

— Коней цілком достатньо. Нам потрібно їх четверо. Візьмемо Ґренаду й Фіґаро — ви вже їх непогано знаєте. А ще поїдуть Брава й Андалусія, — пояснила Корнелія.

— Я хочу їхати на Браві! — хутко вигукнула Флора.

Я не хотіла пасти задніх, тож і собі вигукнула:

— І я!

Тут же почулися ще голоси:

— І я! І я!

Корнелія вирішила, що коли так, проведемо жеребкування. Кілька напружених митей — і все з'ясувалося. На Браві випало їхати мені! Круто! Франек поїде на Андалусії, Флора — на Фіґаро, Анєла — на Ґренаді.

Розминка на леваді минула спокійно. Наші нові коні поводились дуже непогано. Ми каталися без лонжі, бо ж невдовзі на нас чекала поїздка за межі кінного двору. Коли інструкторка дала нам знак, ми всі стояли біля виїзду з левади поряд зі своїми кіньми. Ми якраз сідали на коней, коли до нас під'їхала Фау.

— Мені дозволили поїхати разом із вами! — вигукнула вона й погладила білу, мов сніг, гриву Аляски. — Ви раді?

— Це круто! — згодилась я.

Корнелія визначила, хто за ким буде їхати. Фаустина, що знала місцевість, мала їхати перша. За нею я на Браві, потім — Флора на Фіґаро, Франек на Андалусії, Анєла на Ґренаді. Останньою мала їхати наша інструкторка.

— Я поїду на Авіньйоні. Ця кобилка давно вже не їздила на волі, — промовила вона.

Ми обережно посідали на коней. Без перешкод не обійшлося. Здається, Андалусії не сподобався Франек, тож вона нервово трусила головою, коли той по металевій драбинці намагався видертись їй на спину. Ми завжди брали такі драбинки, щоб вилізти на коней. Нарешті Корнелії все-таки вдалося вмилостивити Андалусію, і Франек міг спокійно сісти.

Тоді інструкторка відчинила ворота. Випускала нас поволі, одне за одним. На чолі процесії їхала Фаустина на своїй величавій Сніговій Королеві. Аляска прегарно рухалась, і кожен її крок був напрочуд граційний. Ми поїхали до лісу. Минули високі трави, що росли на невеличких пагорбах за вигоном. Осіннє сонце ще не цілком освітило своїм

промінням нинішній ранок. Над лугом гойдався легенький серпанок. Білий кінь Фаустини немовби розпливався в імлі. Тільки тому, що в Аляски були темні вуха, а її круп вирізнявся дуже чітко, ми бачили її і могли їхати слідом. Рухались ми повільно. Стіна лісу була все ближче. Ми все краще бачили дерева, що помаленьку перевдягалися в осінні барви, прегарно мінячись золотом і багрянцем. Наша процесія геть незвичайно виглядала на тлі листя, що поволі ставало жовтогарячим.

Раптом зчинився якийсь хаос. Коні заіржали й почали загрозливо близько підходити одне до одного. Корнелія скомандувала:

— Вирівняти шеренгу!

Однак Андалусія й вухом не повела. Вискочила вбік — і ось уже вона, небезпечно підкидаючи на своїй спині Франека, опинилась попереду всіх. Корнелія, проте, не збиралася відступати. Хутко

під'їхала до них, а тоді, підстраховуючи Франека, потягнула віжки і вгамувала Андалусію. Вочевидь, її присутність добре діяла на кобилу, бо та відразу заспокоїлася. Під лісом ми зупинились. Інструкторка дозволила коням вільно погуляти по траві, а ми могли перепочити. Ми посідали в коло й стали ділитися своїми враженнями від поїздки.

Корнелія приєдналася до нас і сказала:

— Кінь — це сильна тварина і водночас ніжна. Тому треба дбати про добрі з ним стосунки, щоб можна було насолоджуватись їздою верхи. Андалусії нечасто випадає нагода вільно виїжджати за межі двору. Виходить, що нові обставини й новий вершник — це для неї трохи забагато.

— То ми вже ніколи не будемо разом їздити? — занепокоївся Франек.

— Бачу, що це початок великої дружби! — зраділа Корнелія. — Якщо так, то вже на наступному занятті почнемо працювати з Андалусією і спробуємо приготувати її до наступних поїздок.

До речі, Корнелія влаштувала нам ще одну несподіванку.

— Вгадайте, що вас чекає на другий сніданок? — спитала вона із загадковим виразом обличчя.

— Ну-у-у-у... Зараз я скажу! — озвалася Флора. — Щось із городу?

— Я вже знаю! Овес! — вигукнув Франек.

— Ну, якщо ти справді хочеш скуштувати кінських ласощів... — інструкторка покрутила головою. — У мене тут щось від самої мадам Ізабелли.

— Тоді це печені буряки з медом, — сказала Флора приречено. — Мені більше до смаку налисники.

— Мені також, — підхопила я. — У мене вже два тижні як не було справжнього недільного сніданку.

Корнелія вийняла з наплічника чималий пластиковий контейнер, накритий покришкою.

— Мадам читає ваші думки. Тож передає вам гарбузові млинці з яблуками, — промовила вона.

Ми накинулись на контейнер і за мить уже наминали млинці, аж за вухами лящало. Я не в захваті від гарбуза, але в цих млинцях узагалі не відчувала його смаку. Млинці були просто КРУТІ!

Франек, ум'явши штук десять, раптом спитав:

— Якщо мадам чарівниця, то, може, це були зачаровані млинці?

Корнелія, сміючись, похитала головою.

— А ви й далі про ті чари! Ще раз кажу вам: це звичайнісінька конюшня.

— А що буде з Бравою? — спитала я.

— Уже знайшовся покупець. Власники Брави продають її в іншу конюшню. Тож це, мабуть, наша остання спільна поїздка, — засмучено відповіла Корнелія.

Ми з жахом перезирнулись. Тобто як? Виходить, ми не встигнемо допомогти Браві і її перевезуть до чужих?

Корнелія помітила, що ми зажурилися.

— Вас це так засмутило? Я вас розумію. Я би теж хотіла, щоб Брава залишилася з нами. Коли я вперше прийшла у «Коні й лошата», ми з нею одразу заприятелювали. Разом з нею я відкривала таємниці верхової їзди.

— Таємний Клуб має намір допомогти Браві, — раптом озвалася Флора.

— Таємний Клуб? — здивувалась Корнелія. — Ви влаштовуєте змови проти дорослих?

Я вирішила, що треба втрутитись у цю бесіду. Я не могла допустити, щоб діяльність нашого Клубу хибно зрозуміли.

— Ну, йдеться про те, щоб не було нудно, — пояснила я. — А ще ми розплутуємо загадки. От нещодавно ми отримали зашифрованого листа і тоді вирішили навчитись їздити верхи.

— Тобто ви з'явилися тут через зашифрований лист? Це дуже цікаво, — сказала Корнелія.

Тоді я розповіла їй про Жаб'ячий Ріг, про Гелю з Костеком та про їхнє весілля, що невдовзі відбудеться.

— У Жаб'ячому Розі також є конюшня. Там живе кобила, яку звати Малага, — додала Фаустина.

— Це ж треба! Такий збіг обставин! У неї подібне ім'я, як і в нашої Брави — з погляду географії, звісно, — промовила Корнелія.

— Малага дуже мила — так само, як і Брава, — згодилась я. — Вони би одна одній сподобались.

— Наш Клуб розробив план, як допомогти Браві, — озвався Франек. — Але ми не знаємо, чи нам вистачить часу.

— Справді? Мені так приємно це чути, — зраділа Корнелія.

Тоді ми поділилися з нею нашим планом. Спершу ми збираємо кошти у школі й передаємо їх власникам Брави, а після цього даруємо Браву Костекові й Гелі.

— Отож Брава оселилась би в Жаб'ячому Розі разом із Малагою. А ми могли б її відвідувати, — закінчила нашу розповідь Анєла. — Зрештою, не тільки ми, а всі з вашого кінного двору.

Корнелія вся аж сяяла.

— Я вами пишаюсь! Не сподівалася, що ви можете таке придумати. Якщо організуєте збір коштів для Брави у вашій школі, обіцяю також зібрати гроші у нашому клубі.

План допомоги Браві цілком заполонив усі наші думки. Дорогою назад ми далі його обговорювали. Корнелія запропонувала нам сфотографувати Браву, щоб всі діти в школі могли побачити, яка вона гарна.

Коли ми врешті повернулися до стайні, почистили коней після їзди як справжні фахівці, а сідла й збрую віднесли назад до сарайчика. І тут знову згадали про таємничу комірчину і сходи на горище. Цього разу двері були добре причинені.

— Ми маємо перевірити, що там на горищі! — напосідав Франек.

Раптом почулися кроки. За дверима хтось ходив. Ті кроки було чути все краще, і нарешті той хтось дійшов до самих дверей. Ми занепокоєно вдивлялись у двері. Хтось узявся за клямку — і вони відчинилися. На наш подив, у дверях стояла мадам Ізабелла.

Нам аж мову відібрало.

— Добридень! — привіталась вона.

— Добридень! — пробурмотіли ми.

Мадам тримала в руках запорошену книгу. Глянула на нас, потім на книгу, а тоді мовчки пішла до стійл.

Перш ніж зникнути з наших очей, вона обернулась до нас і сказала:

— Вітаю вас з успішною поїздкою! Брава — гарна кобила.

Ми стояли наче остовпілі.

— І що? — спитала Флора. — Тепер хтось ще заперечуватиме, що вона — чарівниця? У мене таке відчуття, що вона все про нас знає.

Ми вже нічого не могли на це сказати. Наміру заглянути до комірчини або, чого доброго, на горище у нас не було. Ми швидко поскладали сідла на місце й бігом повернулися до стійл. Хутко попрощалися з Корнелією й побігли на подвір'я, де на нас уже чекали батьки.

ЗБИРАЄМО КОШТИ НА НОВИЙ ДІМ ДЛЯ БРАВИ

У наступні дні ми займались підготовкою до великого збору коштів для Брави. Насправді ми не знали, скільки маємо зібрати, але вирішили, що треба діяти. Батьки обіцяли нам допомогти. Коли вони довідалися про нашу ідею викупити Браву, дали слово, що також долучаться до збору.

— Я такого від вас не чекала, — сказала пані Лаура, коли ми обговорювали наш план під час зустрічі вдома у Флори.

— Та ясно. Ви весь час думаєте, що Таємний Клуб — це просто гра, — стенула плечима Флора. — А в нас є важливі завдання.

— Таємний Клуб хоче займатися великими справами, — додала я.

Тато всміхнувся від вуха до вуха й пообіцяв, що допоможе нам підготувати плакати, де буде написано про збір коштів.

За два дні плакати були готові. Ми приклеїли на них фото Брави й написали великими літерами:

ТИ ТАКОЖ МОЖЕШ ВРЯТУВАТИ БРАВУ!

Ми описали історію Брави, а також розповіли, де плануємо знайти для неї новий дім. Франек підготував спеціальні скриньки, куди треба було кидати гроші, й одного вечора приніс їх нам.

Наша вчителька також була в захваті від цієї ідеї. Одразу згодилась, щоб ми провели таку акцію. На виховній годині ми говорили про те, як люди можуть допомагати тваринам. А після обіду наш клас розпочав проєкт «Допомога для Брави». Плакати висіли в школі вже кілька днів, тож ми сподівалися, що всі приєднаються до збору коштів. Ми поставили інформаційний стенд, з якого всі охочі могли довідатись про історію Брави та наш план. Також ми поставили скриньки, куди можна було кидати гроші.

Першою нас відвідала пані директорка.

— Я бачила вас у різних ситуаціях. Остання подія, від якої я була в повному шоці, відбулася у шкільній їдальні, — промовила вона.

Ми широко всміхнулися. Це вона про картопляну війну чи що...

Пані директорка вела далі:

— Це була якась така війна, де замість снарядів літала картопля. Я ледве там не постраждала!

Ми розгубилися. Виходить, вона все дуже добре пам'ятала. Тож, мабуть, не захоче і копійки кинути для Брави... Але пані директорка дістала з торбинки гаманця і вийняла з нього купюру.

— Наші педагоги підтримують ваше починання. Хоча ви й приховуєте від нас оту вашу таємну організацію... — сказала вона й кинула купюру в скриньку.

— Не забряжчало! — шепнула Флора.

— Бо то не були монети! Це було набагато більше! — озвалась я.

— Супер. Але мені так хотілося, щоб перша пожертва для Брави забряжчала у скриньці, — пояснила Фло. — Це добра прикмета.

Потім прийшла пані Фламенко, вчителька іспанської. Та, котру ми підозрювали — і не без причини — у тому, що вона викрала папугу Базіку. Ми поопускали очі. Були певні, що вона не зрадіє, коли нас побачить.

— От і маєш, хто це тут у нас? — пропищала вона. — В Андалусії, звідки я родом, ми дуже любимо коней. У моїх родичів є невеличка конюшня.

ТИ ТАКОЖ МОЖЕШ ВРЯТУВАТИ БРАВУ!

Я б не могла байдуже пройти повз, якби побачила, що хтось кривдить коня.

Я штурхнула Флору під бік. Ну от, у нас знайшлася ще одна прибічниця.

Пані Фламенко дістала гроші — на цей раз у скриньці забряжчало!

Наша вчителька, що допомагала нам зорганізувати збір коштів і стежила за тим, щоб нашій операції нічого не перешкоджало, також доклала якісь гроші від себе. Потім почали приходити діти з усіх класів, навіть зі старших — четверто-, п'яти- і шестикласники.

Флорі це дуже сподобалося.

— Я боялась, що старші не візьмуть участі. А з мого класу прийшли всі як один, — гордо промовила вона.

Вчителі й учні нас не підвели. Вчителька також дозволила нам збирати пожертви після уроків, коли батьки поприходили до школи забирати дітей. Тому ми розраховували на серйозні грошові надходження. Наприкінці дня скриньки вже були повні. У них було чимало і купюр, і монет. Флора вже не переймалась тим, чи чути зсередини голосний брязкіт. Тепер ми обидві міркували, скільки ж грошей нам вдалося зібрати.

Зустріч Таємного Клубу ми запланували на вечір четверга. На цей раз у Ґацеківському гнізді, себто у мене вдома, на вулиці Батарейковій. На зустрічі ми мали врочисто відкрити скриньки і перерахувати зібрані кошти. Прийшли всі учасники Таємного Клубу. Франек навіть з'явився завчасно. Він крутився у моїй кімнаті й трусив скриньками. І висловлював здогади, яку ж суму ми зібрали. Я сиділа на таємній базі під столом і писала у щоденнику. Бо за останній час стільки всього сталося!

А Франек усе не замовкав:

— Я дивився в інтернеті, скільки коштують коні, — мовив він.

— Справді? — зацікавилась я, визирнувши з-під столу. — А скільки?

— Ну-у-у, багато, — відповів він, похнюпившись. — Кілька тисяч злотих. Тато вважає, що ми не зберемо такої суми.

— Скриньки дуже важкі, — заперечила я. — А вчительки й батьки навіть паперові гроші кидали.

Франек негайно ж склав задачу:

— Якщо найменша купюра — десять злотих, а нам потрібно, скажімо, три тисячі, то скільки купюр маємо зібрати?

— Не будь таким занудою, — відповіла я, бо мені відразу перестало бути цікаво. — Зараз усі посходяться і побачимо.

— Це дуже просто! Якби всі пожертвували по десять злотих, нам би було потрібно триста купюр, — сказав Франек.

— Банально, — відповіла я. Хоча не була цілком певна, що мені вдалось би так швидко це підрахувати, але нехай Франек не думає, що тільки він такий просунутий у математиці. Вона мені також подобається, та й годі.

Нарешті поприходили дівчата. Я сподівалася, що мені вже не доведеться слухати про підрахунки. Але як тільки вони зайшли, Франек відразу поставив їм те саме запитання. Тепер Фаустина підраховувала, скільки ж нам потрібно купюр.

— Може, перевіримо, скільки у нас їх насправді? — запропонувала я.

— Та-а-ак! — загорлали всі учасники Таємного Клубу. Всім було цікаво, наскільки успішною була наша операція.

Ми обережно відкрили скриньки й висипали все, що в них було, на килим. Монети забряжчали, і їх вийшла ціла гірка. Біля неї лягло ще трохи паперових грошей.

— Здається, ми непогано впорались, — мовила Флора, дивлячись на наші скарби.

Отож ми стали рахувати. Сортували монети й купюри відповідно до номіналу. Франек став нашим придворним скарбником. Коли ми вже старанно підрахували, скільки було в кожній гірці, Франек зморщив лоба й почав велике підсумовування. І ось він урочисто оголосив:

— Ми зібрали дев'ятсот дев'яносто дев'ять злотих п'ятдесят грошів!

— Круто!!! — заверещала Флора. А решта Таємного Клубу вже шаленіла в дикому радісному танці.

Я тішилась разом з усіма, але мені з голови не виходила думка, що на те, аби купити коня, нам потрібно втричі більше грошей.

— Щось не так? — спитала Фаустина, подивившись на моє занепокоєне обличчя.

— Я чула, що для того, аби купити коня, нам треба значно більше, — відповіла я.

Фау відразу втихомирила нашу компанію:

— Слухайте, здається, у нас проблема. Цієї суми, яку ми зібрали, не вистачить.

Увесь наш Клуб скис.

— Я віддам усе, що назбиралось у моїй скарбничці! — вигукнула Флора.

— А в мене виникла інша ідея! Пам'ятаєте, що нам обіцяла Корнелія? — нагадав Франек. — Ми організовуємо збір коштів для Брави у школі, а вона — у клубі верхової їзди!

Точно, ми про це геть забули!

— Круто! Тоді чекаємо до суботи! — зраділа я. — Все у нас вийде, ось побачите!

— А батьки? — спитала Флора. — Вони також мали взяти участь у нашій операції!

Франек відразу був готовий діяти.

— Тоді чого ми чекаємо! Берімо скриньки для пожертв і бігом до батьків! Попросимо їх зробити свій внесок!

Ми схопили одну з порожніх скриньок, наш плакат із зображенням Брави, що висів у школі, й помчали до кімнати, де пані Лаура, професор і мої батьки якраз жваво розмовляли. До нас долинали уривки завзятої дискусії про тварин.

Професор говорив найголосніше:

— Відповідно до закону про охорону тварин людина має ставитися до них шанобливо, опікуватись ними й охороняти!

— Та звісно ж! — запищав голос Флориної мами. — Але чи вистачить їм ентузіазму, щоб доглядати коня багато років?

— Не переймайтесь. Кінь житиме у сільській невеличкій конюшні. Там у нього буде дім і догляд. Та ще й на себе заробить! Костек втаємничив мене у свої плани. Він хоче відкрити в Жаб'ячому Розі центр, де діти вчитимуться їздити верхи, — відповіла мама.

Потім ми почули мого тата:

— Ми не можемо так просто докласти решту суми й викупити коня. Діти повинні мати щомісяця якісь зобов'язання.

Запала тиша. Тоді знову озвався професор:

— Вони мають заробити на вартість корму на місяць.

— Гарна ідея! — згодилась мама.

Ми застигли під дверима, широко всміхаючись. Значить, батьки нам допоможуть! Брава не поїде в інший кінець Польщі! Однак ми не мали дати знати, що чули їхню нараду. Отож ми зайшли до кімнати з плакатом про збір коштів для Брави й скринькою, готовою для нових пожертв.

Я розповіла про те, для чого ми організували нашу акцію, й попросила присутніх про допомогу. Професор від імені батьків сказав, що вони готові нас підтримати.

— Проте ми допомагаємо на певних умовах! — попередив він. — Брава поїде до Жаб'ячого Рогу — звісно, за умови, що Геля з Костеком приймуть такий подарунок. Не слід забувати, що це буде для них додаткове навантаження.

— А які це будуть умови? — спитала нетерпляче я. Невже вони придумали щось інше, ніж те, що ми почули щойно?

— Зараз усе вам поясню, — вів далі професор. — Ми гадаємо, що ви також маєте брати постійну участь у догляді за конем.

Флора, почувши це, аж нетямилась від захвату:

— Уррра! — гукала вона, вистрибуючи на одній нозі. — Я би хотіла щомісяця їздити до Жаб'ячого Рогу!

Ця ідея нам так сподобалася, що тут же зчинився неймовірний гармидер. Дорослі перезирнулись, аж нарешті мій тато попросив тиші й промовив:

— Ми мали на думці дещо інше.

— Справді? — здивувалась Флора. — Як це інше?

— Що ж, навіть якщо Брава поїде до Жаб'ячого Рогу, то хтось там має займатися нею на щодень. Регулярно чистити її стійло і дбати про неї саму. Крім того, їсти кінь має кожного дня.

— Та ясно! — втрутився Франек. — Кози он весь час їдять.

Потім притулив пальці до голови, наче роги, й заревів на все горло:

— Ме-е-е-е!

Коли Франек втихомирився, тато нарешті зміг говорити далі:

— Пропонуємо, щоб ви щомісяця виділяли частину ваших кишенькових грошей на харчі для Брави. Ми будемо пересилати цю суму до Жаб'ячого Рогу.

Мама додала:

— Нам важливо, щоб ви були відповідальні за свою нову приятельку. У такий спосіб ви зможете взяти на себе частину обов'язків.

Ми перезирнулися.

— Нам треба провести таємну нараду, — озвалась я. Врешті-решт я керівничка Таємного Клубу!

Ми вийшли в коридор і почали завзято обговорювати, як же вчинити.

— Чудова ідея, правда? — мовила Анєла. — Я певна, що в Жаб'ячому Розі Брава знайде для себе новий дім!

— А ми зможемо її провідувати, — додала Фаустина.

— Ви певні, що хочете виділяти кишенькові на корм? — я почула у Флориному голосі нотку сумнівів.

— Харчі — це найголовніше, — сказав Франек. — Я згоден, хоча, мабуть, мені доведеться відмовитись від передплати журналу «Фізика і ти».

— А я збиралася купити собі нові краги, але поки що хай будуть старі, — мовила Фаустина.

Врешті, — попри те що Фло вагалася, — ми одностайно вирішили погодитись на умови дорослих, тож повернулися до кімнати. Ледве я встигла сказати, що ми готові віддавати частину кишенькових на корм для Брави, як у двері подзвонили. Мама хутенько нас перерахувала:

— Раз, два, три, чотири і п'ять! Весь Таємний Клуб на місці. Ми когось загубили?

За мить вона повернулася з несподіваним гостем. Це був Луцек! Я почервоніла й сховалась за Флорою.

— Привіт, Луцеку! — зраділа Фло. — Давненько ми не бачились.

— Я пізніше повернувся з канікул, — пояснив Луцек. — У нас із батьками була далека подорож.

Флора відійшла вбік, тож я стояла тепер навпроти мого сусіда.

— Тобі пощастило, — сказала я, й далі відчуваючи, що вся червона. — Цього року Таємний Клуб провів літо в Жаб'ячому Розі, у моєї бабусі.

— І там були нові таємниці! — додав Франек. — І знаєш, що ще? Я єдиний хлопець у Таємному Клубі. Правда, супер?

Луцек закивав головою і звернувся до мене:

— Я прийшов запросити тебе до себе на день народження.

— А ми? — насупилася Флора. — Про нас ти забув?

Луцек замислився на якийсь час, а потім запросив усіх на свій день народження до мотузкового парку.

— Запам'ятайте: наступна субота, в обід, — повторив він.

— Круто! — зраділа Фаустина, що дуже любила лазити по мотузках.

Тут я згадала, що субота у нас зайнята. Зранку ми ідемо до клубу «Коні й лошата» на урок верхової їзди. Також маємо передати мадам Ізабеллі гроші, зібрані для Брави, і з'ясувати, чи ми можемо їй допомогти.

— Це буде не так просто, — сказала я. — На нас чекає важлива справа.

Ми розповіли Луцекові про збір коштів і про те, що в суботу з'ясується подальша доля Брави.

— Я з вами! — вигукнув він. — Докладу якісь гроші з моєї скарбнички! А про день народження не переймайтеся. На наступну зустріч Таємного Клубу принесу торт. Якщо ви мене запросите.

Це був ідеальний вихід із ситуації.

Виявилося, що проєкт Таємного Клубу Супердівчат (і Суперхлопця, ясна річ) мав цілковитий успіх. Адже всі, що працювали в кінному дворі, підійшли до справи дуже відповідально й зібрали таку саму суму, як і ми у школі! Тож у нас було вже вдвічі більше грошей і до мети було значно ближче. Батьки вирішили, що докладуть суму, якої бракує. Однак попередили, щоб найближчим часом ми не чекали сюрпризів.

— Затягуємо пояси, любі наші таємноклубники! — басом мовив професор.

Однак справжній сюрприз нас чекав від мадам Ізабелли. Коли ми з'явились у клубі «Коні й лошата», тягнучи скриньки із зібраними грішми, вона вийшла нам назустріч.

— Антончиха казала мені, що ви тут якусь чарівницю розшукуєте, — сказала вона.

Фаустина почервоніла як буряк. Сумління в неї було нечисте. Однак вона не могла не спитати Антончихи, чи пані Ізабелла не займається часом чорною магією.

Мама, яка того дня приїхала з нами, вражено глянула на нас. Зате професор не приховував, що його це розвеселило.

— Магія надто вже розрекламована, — сказав він те саме, що й Франек. — Є тільки фізичні явища.

Мадам Ізабелла продовжила:

— Я з дитинства вірю, що магія — це частина нашого життя, — і витягнула з-за спини велику книгу, яку тримала в руках тоді, коли ми востаннє зустрілись у комірчині.

— Цю книжку я знайшла на горищі. Це казки, які я читала своїм дітям. У кожній з них є і магія, і зерно правди.

«Хух, — подумала я. — Значить, вона все-таки не чарівниця. Просто того дня нишпорила на горищі».

Мадам Ізабелла казала далі:

— Якщо ваше бажання допомогти Браві було щире, у мене для вас гарні новини. Наша конюшня небагата, але ми дуже любимо коней. Брава тут росла, тож підтримку також знайде тут. Власник згодиться на ту суму, яку вам вдалося зібрати. А як — це вже мій клопіт.

Ми зраділи, і тільки через шанобливе ставлення до мадам не підстрибували високо вгору на радощах.

— У тому Жаб'ячому Розі, куди має поїхати Брава, для коней чудові умови, — додала мадам.

— Але звідки... звідки ви це знаєте? — пробелькотала я.

Мадам Ізабелла струсила з книжки порохняву й відповіла:

— Я побачила це у своїй чарівній кулі. Що ж іще я могла робити на горищі?

Ми всі розсміялись, а мадам мовчки пішла собі.

— І що? Тепер ви мені вірите, що вона не чарівниця?

На порозі стайні з'явилась Корнелія, а біля неї стояла Брава. Її шерсть кольору каштанів, як завжди, прегарно виблискувала у променях вранішнього сонця. Коли вони обидві підійшли до нас, мені здавалося, що у Бравиних очах також виблискують веселі вогники.

— Значить, ти поїдеш до Жаб'ячого Рогу, — сказала я їй і ніжно погладила її морду.

Але це вже зовсім інша історія.

ЗМІСТ

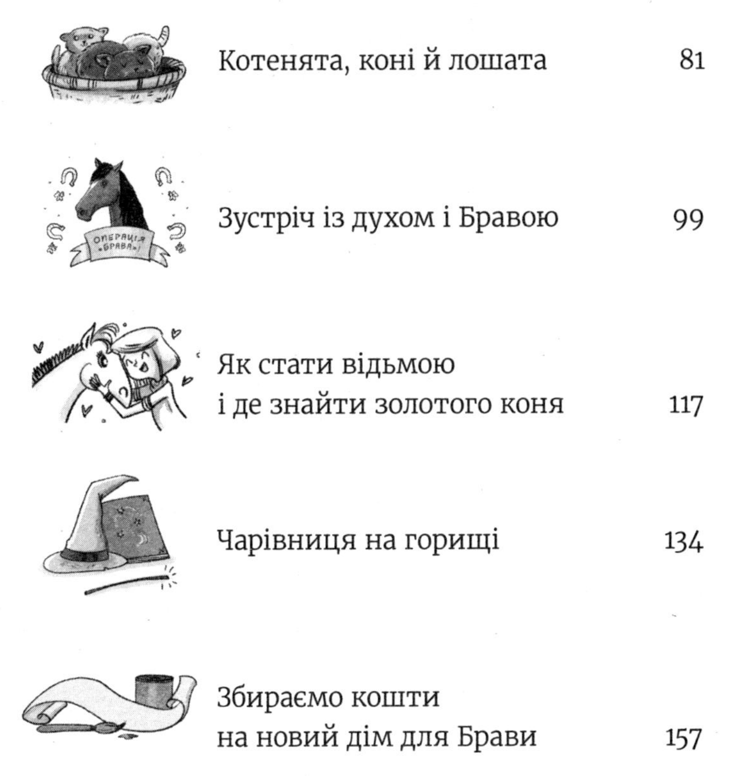
ОПЕРАЦІЯ
«БРАВА»

Літературно-художнє видання

Агнєшка Мєлех

Для молодшого шкільного віку

Ілюстрації *Магдалени Бабінської*

Переклад з польської *Дзвінки Матіяш*

Головна редакторка *Мар'яна Савка*
Відповідальна редакторка *Анастасія Єфремова*
Літературна редакторка *Марія Дзеса-Думанська*
Художній редактор *Іван Шкоропад*
Макетування *Андрій Бочко*
Коректорка *Ольга Горба*

Підписано до друку 13.04.2021. Формат 84×108/32
Гарнітура «Merriweather». Друк офсетний
Умовн. друк. арк. 9,24. Наклад 4000 прим. Зам. № 247/04

Свідоцтво про внесення до Державного реєстру видавців
ДК № 4708 від 09.04.2014 р.

Адреса для листування:
а/с 879, м. Львів, 79008

Книжки «Видавництва Старого Лева»
Ви можете замовити на сайті *starylev.com.ua*
0(800) 501 508 spilnota@starlev.com.ua

Партнер видавництва

Надруковано у ПП «Юнісофт»
61036, м. Харків, вул. Морозова, 13 б
www.unisoft.ua
Свідоцтво ДК №5747 від 06.11.2017 р.

UNISOFT